il

visconte dimezzato

Photo: Ilene T. Olken

Italo Calvino

EDITED BY ILENE T. OLKEN
University of Michigan

Italo Calvino

il

viscontedimezzato

APPLETON-CENTURY-CROFTS
Division of Meredith Corporation/New York

PREFACE

The contemporary Italian novel, a prospering and exciting genre, is all but unknown to American students. In the 1940's a literary revolution began in Italy, the results of which are only now becoming apparent. One of the most culturally active representatives of this movement is Italo Calvino. Born in 1923, he already holds an established place of importance among the influential writers of the second post-war period. In his own country he was honored with the Viareggio and Bagutta prizes, among others, after Cesare Pavese and Elio Vittorini, the two outstanding novelists of the immediately preceding period, brought him to the attention of the critics. Calvino has also been co-editor with Vittorini of *Il Menabò,* a journal whose publication ceased recently with the untimely death of Vittorini.

Il visconte dimezzato is a provocative novel, eminently suited to the pedagogic aims of a second- or third-year college course. It allows analysis and interpretation at several levels, involving as it does many of the basic problems of man's identity and the relativity of good and evil. Both themes are sustained in a free-wheeling narrative style which ranges from tersely humorous dialogue to highly polished descriptive passages. Each of the characters is described in precise yet limited detail, heightening the seeming simplicity of an insistence upon action—a simplicity that really masks a human landscape seething with symbol. Calvino's vocabulary is concrete, emphasizing the conflict of interests that besets the characters. At the same time, he pays close attention to the natural world, making it serve as background expression, a running leitmotif. Historical fancy sparks the development of an unusual plot, the outcome of which is akin in spirit to Voltaire's *Candide.*

Footnotes clarify generally difficult constructions, idiomatic expressions and vocabulary items with which students cannot be expected to be familiar. The exercises consist of questions dealing specifically with the story as well as with a more general interpretation, and the vocabulary at the end is complete for students at the second-year level. Italy is a country of dialects, a further problem in the selection of material for text editions. Even those writers who most frequently use "standard" Italian often reveal the city or region of their origin through syntactic peculiarities and lexical variants. Calvino's writing is relatively free of dialect usage, but the footnotes include regionalisms where they occur. A short introduction discusses Calvino's writing to date and the specific role of *I nostri antenati*, the cycle of novels of which *Il visconte dimezzato* is a part.

I.T.O.

CONTENTS

INTRODUCTION

When Ariosto gave free rein to his talent for ironic fantasy at the beginning of the sixteenth century, the Italian Renaissance was at its height. Winged horses were the order of the day, magic potions indispensable, and miraculous feats of strength against dragons and other enemies delighted court audiences who had outgrown the austere mediæval representations of conflict between God and the Devil. This mode of expression in Italian literature has remained relatively neglected since that day, and has only recently been given voice again in a cycle of three novels by Italo Calvino: *Il visconte dimezzato,* 1952; *Il barone rampante,* 1957; and *Il cavaliere inesistente,* 1959. In 1960, Einaudi reissued the three novels in a new edition, bearing the title, *I nostri antenati,* with an introduction by the author, part of which is presented in its original form in this discussion.

Calvino, however, is only an indirect descendant of Renaissance vitality and optimism. The narrative tradition in Italy was for centuries the stepsister in a literary family of predominantly classical form and lyric expression. Many factors—the more than three hundred years of foreign domination and suppression of political and economic theories and social ideals, the lack of a literary capital, *la questione della lingua* (as topical in the nineteenth and twentieth centuries as in the fifteenth), and the difficulty of communication in general — all served to inhibit the free development of a genre which elsewhere in Europe had taken firm root by the eighteenth century.

Calvino's definition of his own position among his contemporaries includes what he calls presentation through fantasy, or more descriptively, the tension of imagination. His impetus, he tells us, was the literature of the Resistance, its epic qualities and adventurous grasp, the combination of physical and moral strength.

But it is to the Renaissance and to Ariosto that he constantly returns to seek affirmation of the enduring qualities that animate his characters. In Ariosto he sees not evasion but the forceful lesson of fantasy, irony, and formal accuracy, and this lesson directed not toward the past but toward the future. This ideal is the constant catalyst in his precipitous world of symbolic experience.

In 1947, at the age of twenty-three, Italo Calvino came to the attention of the critics with his first novel, *Il sentiero dei nidi di ragno*. Unlike the abrupt treatment of Vittorini, who was to provide the model for the Italian Resistance novel in *Uomini e no*, 1949, or the later stark description of the *lager* in Primo Levi's *La tregua*, 1961, the atmosphere of war and resistance activity is presented here through the adventures of a young ragamuffin, Pin, with the fable-like qualities of Calvino's writing already strongly in evidence. But the fabulous and incredible do not dominate the tale. As Pin lives through the fantasy of his own youthful vision, the steel-cold world of death and disillusionment is made all the more vivid and poignant. This was the era of resistance literature and it is not surprising that Calvino's first novel should deal with subject matter so immediate and viable. Even as early as this, the refreshing lack of ostentation of his prose style, and his obvious talent as a master story-teller were established; they have remained among the unchanging characteristics of his more recent work. The novel was enthusiastically received and praised most highly in a review written by Pavese soon after its publication. Pavese had come to know Calvino when Calvino had gone as a university student to consult works in the Einaudi publishers' library for his thesis on the works of Joseph Conrad.

Ultimo viene il corvo, a collection of short stories written between 1945 and 1946, and published in 1949, is more extensive in its subject matter but still deals primarily with the war years. Calvino's own partisan activities, of which he otherwise rarely speaks, are reflected in this volume. Also reflected here is his predilection for the episode treated with seeming simplicity in swift, bold strokes. There are no real "surprise endings" to the episodes related in the stories, yet there is paradox in the violence of men set against the backdrop of a benign, often idyllic and timeless nature. Calvino has learned much from Pavese and Conrad.

Fiabe italiane, 1956, is an interlude, an exercise in style and the fruit of rigorous research. Calvino, true to his narrative faculty, presents in a modern, colloquial idiom an extensive collection of Italian fables and folk tales. The merit of this anthology is its authentic flavor and jocular tone, similar to the good-natured and open, ingenuous narrative style of *I nostri antenati.* The *Fiabe* was an ambitious undertaking, precipitated, as Calvino recounts in the introduction, by an "esigenza editoriale," that is, by the desire on the part of Einaudi to publish an Italian collection along with volumes of foreign folk tales. Calvino's objectives were, first, to include every type of tale that had ever been documented in the various Italian dialects, and second, to represent all of the regions of Italy. The result was a heterogeneous work in which the unique qualities of the dialects stand out clearly even though each fable was translated into standard Italian. Calvino's treatment of fable directly follows his expressed interest in the relationship between the mode of the pre-literary narrative as well as the early forms of the chivalric novel during the Middle Ages and the chivalric poems of the Renaissance. The volume is superbly illustrated with reproductions of illuminations taken from a manuscript probably of the *quattrocento,* and is complete with notes on the origin of the fables.

With *La speculazione edilizia,* 1957, *La nuvola di smog,* 1958, and *La giornata di uno scrutatore,* 1963, Calvino returns to the chronicle of present-day Italy. Each novella is implicitly critical of the post-war period. The current drive toward economic well-being is seen primarily in the fraudulent practices of businessmen (*La speculazione*), and politicians (*La giornata*), the result being a general debasement of human values. The point of departure is realistically urban — two of the stories take place in northern cities, probably Milano or Torino — but Calvino avoids open polemic by concentrating on the protagonist and a moral problem in need of some ultimate resolution. The disillusionment in the late 1950's of Italian intellectual Communists is significant in Calvino's writing of this period. In *La speculazione,* Quinto, a former Communist and intellectual, begins by decrying the ugliness and commercialism now rampant in the feverish building speculation in his home town on the Riviera. His intellectual moralizing is soon buried with many of the plants in his mother's garden when he decides to speculate himself by building on the family property. The Resistance ideals have exploded and one senses in Calvino a powerless frustration in the face of endemic moral collapse and the disfigurement by man of what little natural beauty is still left along the Ligurian coast.

In a volume of twenty vignettes, *Marcovaldo, ovvero le stagioni in città,* started in 1952 and published in 1963, Calvino approaches many of the same problems, but he treats them in a lighter, though often melancholic manner. Vittorini once commented that Calvino's interests carry him in several directions, the synthesis of which takes its form either in a realism infused with the fabulous, or in fantasy infused with the realistic. In this case, everyday reality and the naïve credulity of Marcovaldo set the tone for a series of escapades bordering on the fantastic in which the Chaplinesque optimism of Marcovaldo is a constant denominator. An unskilled laborer who has come to the big city with his family, he can barely make ends meet with his meager salary from the big company known only as "Sbav," where he dully loads and unloads packing cases eight hours a day. He is another cog in the gigantic machine, unable to comprehend or adapt to the impersonality of city life. As a modern-day Noble Savage, Marcovaldo's perception is necessarily conditioned by his limited experience as a "provincial," and every new discovery he makes in the crowded streets of the metropolis leads to comic confusion and often pathetic disappointment. His rapturous discovery of mushrooms in the middle of the city has a bitter taste when they turn out to be poisonous; when he "liberates" a rabbit from its laboratory cage to his own jacket as he is discharged from the hospital, little does he know that it has been injected with the germs of a highly contagious and deadly disease.

Calvino's most recent novel, *Le cosmicomiche,* 1965, takes the reader into a topsy-turvy world of science fiction. Unlike the usual speculations and imaginings about what the future holds in store for man and the cosmos, Qfwfq, the protean protagonist who is as old as time, takes us back to the beginning of the formation and development of the universe. What is Qfwfq? Certainly not a man before the appearance of *homo sapiens.* An intelligence? Perhaps. And if so, a loquacious one at that, as he relates what life was like for himself and his "family" back in the good old days when the moon was just a stone's throw from the earth, or when the sun began to concentrate its energy into heat and light. When the first forms of animal life began moving through the seas and onto the land, Qfwfq was there, transmuting with them, finding one stage of his own form in the dinausaurs, "diciamo per una cinquantina di milioni d'anni!"

Il visconte dimezzato, the first volume of *I nostri antenati,* appeared in 1951. Calvino's 1960 introduction contains the following description of the genesis of the novel:

...mi misi, come per un passatempo privato, a scrivere *Il visconte dimezzato,* nel 1951. Non avevo nessun proposito di sostenere una poetica piuttosto che un'altra nè alcuna intenzione d'allegoria moralistica o, meno che mai, politica in senso stretto. Certo risentivo, pur senza rendermene ben conto, dell'atmosfera di quegli anni. Eravamo nel cuore della guerra fredda, nell'aria era una tensione, un dilaniamento sordo, che non si manifestavano in immagini visibili ma dominavano i nostri animi. Ed ecco che scrivendo una storia completamente fantastica, mi ritrovavo senz'accorgermene a esprimere non solo la sofferenza di quel particolare momento ma anche la spinta a uscirne; cioè non accettavo passivamente la realtà negativa ma riuscivo a rimmettervi il movimento, la spacconeria, la crudezza, l'economia di stile, l'ottimismo spietato che erano stati della letteratura della Resistenza.

In partenza avevo solo questa spinta, e una storia in mente, o meglio un'immagine. All'origine di ogni storia che ho scritto c'è un'immagine che mi gira per la testa, nata chissà come e che mi porto dietro magari per anni. A poco a poco mi viene da sviluppare questa immagine in una storia con un principio e una fine, e nello stesso tempo — ma i due processi sono spesso paralleli e indipendenti — mi convinco che essa racchiude qualche significato. Quando comincio a scrivere però, tutto ciò è nella mia mente ancora in uno stato lacunoso, appena accennato. È solo scrivendo che ogni cosa finisce per andare al suo posto.

Dunque, da un po' di tempo pensavo a un uomo tagliato in due per lungo, e che ognuna delle due parti andava per conto suo. La storia di un soldato, in una guerra moderna? Ma la solita satira espressionista era fritta e rifritta; meglio una guerra dei tempi andati, i Turchi, un colpo di scimitarra, no: meglio un colpo di cannone, così si sarebbe creduto che una metà era andata distrutta, invece poi saltava fuori. Allora i Turchi col cannone? Sì, le guerre austro-turche, fine Seicento, principe Eugenio, ma tutto lasciato un po' nel vago, il romanzo storico non m'interessava (ancora). Dunque: una metà sopravvive, l'altra comparirà in un secondo tempo. Come differenziarle? Il sistema d'effetto sicuro è fare una metà buona e una cattiva, un contrasto alla R. L. Stevenson, come Dr. Jekyll and Mr. Hyde e i due fratelli del Master of Ballantrae. Così la storia s'organizzava su se stessa secondo uno schema perfettamente geometrico. E i critici potevano cominciare ad andare su una falsa strada: dicendo che quel che mi stava a cuore era il problema del bene e del male. No, non mi stava a cuore per niente, non avevo pensato neanche per un minuto al bene e al male. Come un pittore può usare un ovvio contrasto di colori perchè gli serve a dare evidenza a una forma, così io avevo usato un ben noto contrasto narrativo per dare evidenza a quel che mi interessava, cioè il dimidiamento.

Dimidiato, mutilato, incompleto, nemico a se stesso è l'uomo contemporaneo; Marx lo disse «alienato», Freud «represso»; uno stato d'antica armonia è perduto, a una nuova completezza s'aspira. Il nocciolo ideologico-morale che volevo coscientemente dare alla storia era questo. Ma più che lavorare ad approfondirlo sul piano filosofico, ho badato a dare al racconto uno scheletro che funzionasse come un ben connesso meccanismo, e carne e sangue di libere associazioni d'immaginazione lirica.

L'esemplificazione dei tipi di mutilazione dell'uomo contemporaneo non potevo caricarla sul protagonista, che aveva già il suo daffare a mandare avanti il meccanismo della storia, e l'ho distribuita su alcune figure di contorno. Una d'esse — ed è si può dire l'unica che abbia un puro e semplice ruolo didascalico —, Mastro Pietrochiodo carpentiere, costruisce forche e strumenti di tortura i più perfezionati possibile cercando di non pensare a cosa servono, così come . . . così come naturalmente lo scienziato o il tecnico d'oggi che costruisce bombe atomiche o comunque dispositivi di cui non sa la destinazione sociale e cui l'impegno esclusivo nel «far bene il proprio mestiere» non può bastare a mettere a posto la coscienza. Il tema dello scienziato «puro», privo (o non libero) d'un' integrazione con l'umanità vivente, salta fuori anche nel personaggio del dottor Trelawney, che però era nato in tutt'altro modo, come una figuretta di gusto stevensoniano, evocata dagli altri riferimenti a quel clima, e che ha acquistato anche una sua autonomia psicologica.

A un modo d'immaginazione più complesso appartengono i due «cori» dei lebbrosi e degli ugonotti, nati da un fondo lirico visionario forse su spunti di vecchie tradizioni storiche locali (villaggi di lebbrosi nell'entroterra ligure o provenzale; stanziamenti di ugonotti fuggiti dalla Francia nel Cuneese, dopo la revoca dell'editto di Nantes o, prima ancora, dopo la notte di San Bartolomeo). I lebbrosi sono venuti a rappresentare per me l'edonismo, l'irresponsabilità, la felice decadenza, il nesso estetismo-malattia, in un certo modo il decadentismo artistico e letterario contemporaneo ma anche di sempre (l'Arcadia). Gli ugonotti sono il dimidiamento opposto, il moralismo, ma come immagine, sono qualcosa di più complesso ancora perchè c'entra una specie d'esoteria familiare (ipotetica origine — a tutt'oggi non ancora verificata — del mio cognome): una illustrazione (satirica e ammirativa al tempo stesso) delle origini protestanti del capitalismo secondo Max Weber, e, per analogia, d'ogni altra società basata su un moralismo fattivo; e una evocazione — più simpatetica che satirica questa — di un'etica religiosa senza religione.

Tutti gli altri personaggi del *Visconte dimezzato* mi pare che non abbiano altro senso che la loro funzionalità nell'intreccio narrativo. Qualcuno mi è venuto abbastanza bene — cioè ha acquistato vita propria — come la balia Sebastiana, e — nella sua breve comparsa — il vecchio visconte Aiolfo. Il personaggio della ragazza (la pastorella

Pamela) è appena uno schematico ideogramma di concretezza femminile in contrasto con la disumanità del dimezzato. E lui, Medardo, il dimezzato? Ho detto che aveva meno libertà degli altri, con un itinerario predeterminato degli appuntamenti con l'intreccio. Ma pur così costretto è riuscito a manifestare una fondamentale ambiguità, corrispondente a qualcosa di non ancora ben chiarito nella mente dell'autore. Il mio intento era combattere tutti i dimidiamenti dell'uomo, auspicare l'uomo totale, questo è certo. Ma di fatto il Medardo intero dell'inizio, indeterminato, com'è, non ha personalità nè volto; del Medardo reintegrato della fine non si sa più nulla; e chi vive nel racconto è solo Medardo in quanto metà di se stesso. E queste due metà, queste due contrapposte immagini di disumanità, risultavano più umane, muovevano un rapporto contraddittorio, la metà cattiva, così infelice, di pietà, e la metà buona, così compunta, di sarcasmo; e ad entrambe facevo declamare un elogio del dimidiamento come vero modo d'essere, dagli opposti punti di vista, e un'invettiva contro l' «ottusa interezza». Sarà perchè, nato in un'epoca di dimidiamento, il racconto finiva per esprimere suo malgrado la coscienza dimidiata? O non piuttosto perchè vera integrazione umana non è in un miraggio d'indeterminata totalità o disponibilità o universalità ma in un approfondimento ostinato di ciò che si è, del proprio dato naturale e storico e della propria scelta volontaria, in un'autocostruzione, in una competenza, in uno stile, in un codice personale di regole interne e di rinunce attive, da seguire fino in fondo? Il racconto mi richiamava per sua spontanea interna propulsione a quello che è sempre stato e resta il mio vero tema narrativo: una persona si pone volontariamente una difficile regola e la segue fino alle ultime conseguenze, perchè senza di questa non sarebbe se stesso nè per sè nè per gli altri.

Il barone rampante, the second part of the trilogy, tells the tale of Cosimo, eldest of the two sons of the Baron Arminio Piovasco di Rondò. On the 15th day of June, 1767, the ten-year-old Cosimo adamantly refuses to eat a snail concoction prepared by his eccentric spinster sister. When his father insists, Cosimo retreats even further in his disobedience and leaving the room, climbs a large oak in the garden and vows never to set foot on the ground again. Organizing his arboreal life to achieve an optimum of comfort and protection, as well as necessary hygiene, he continues to be a peripheral part of the family, carrying on with his lessons even though it means that his tutor must often perch precariously on a branch below him. Nor does family concern cease. His mother watches him through a spyglass while his younger brother, Biagio, remains his main contact with the everyday life of earthbound society. It is Biagio who serves as the story's narrator. Cosimo befriends the infamous bandit, Gian dei Brughi, eventually manages a tree-top idyll with his childhood sweetheart and constant torment, engages in politics, befriends a group of Spanish exiles who have taken temporary refuge in the trees, writes tracts for a better society, joins the Freemasons, and engages in the activities of the Enlightenment, all from the heights of his leafy domain. His notoriety reaches the ears of Voltaire and when Biagio has an interview with that illustrious gentleman, in answer to the former's question: "Mais c'est pour approcher du ciel que votre frère reste là-haut?" Biagio answers simply: "Mio fratello sostiene che chi vuole guardare bene la terra deve tenersi alla distanza necessaria." Remaining true to his youthful vow, the ageing Cosimo leaves the world of the living as dramatically as he had ascended to the trees years earlier. A balloon passing low over the trees and buffeted by the wind gives Cosimo the opportunity to grab its anchor line with a leap recalling his youthful days. The balloon crosses the nearby gulf and when it reaches the other side, Cosimo is no longer to be seen. "Così scomparve Cosimo, e non ci diede neppure la soddisfazione di vederlo tornare sulla terra da morto. Nella tomba di famiglia c'è una stele che lo ricorda con scritto: 'Cosimo Piovasco di Rondò — Visse sugli alberi — Amò sempre la terra — Salì in cielo.' "

Agilulfo Emo Bertrandino dei Guildiverni e degli Altri di Corbentraz e Sura, cavaliere di Selimpia Citeriore e Fez, is the most efficient, best groomed and thus the least popular among Charlemagne's paladins. His white armor always shines, his duties are carried out meticulously with great concern for the smallest detail. As Charlemagne reviews the troops just outside the walls of Paris, Agilulfo is the last in line. It is a hot day and the old emperor is tired and a little bored. He approaches, expecting the white-clad knight to raise his visor and introduce himself as is the custom. Agilulfo remains motionless. Charlemagne insists, and only hesitantly does Agilulfo raise his visor to reveal an empty suit of armor. In answer to Charlemagne's obvious question as to how he can function without a body, Agilulfo replies calmly in a metallic voice that seems to issue from the armor: "by force of sheer will and faith in our holy cause," thus introducing the adventures of *Il cavaliere inesistente,* the third and last novel of *I nostri antenati.* Agilulfo is the idol of the young Rambaldo, newly arrived and intent on revenging his father's death in a recent battle. He is, as well, the object of the affections of the intrepid warrioress, Bradamante, whose other identity as Suor Teodora is revealed only later. (It is Suor Teodora who narrates the story, written as penance for her frequent flights from the convent to join the troops in battle and other escapades.) When the army leaves Paris for further encounter with the heathens, Agilulfo has assigned as groom the mad Gurdulú, well known by the peasants for his strange antics and constant departure from his human state. A flock of ducks crosses his path and he sets out after them; he imitates their quacking and almost drowns when he attempts to mimic their aquatic behavior. The other knights delight in this combination: Agilulfo, a bodiless intelligence; Gurdulú, a mindless body.

During the battle Rambaldo finds a chance ally in Bradamante, unrecognizable as a woman in her armor. Later, when he discovers her identity, he falls violently in love but Bradamante who desires only the ideal Agilulfo spurns him. But now the very basis for Agilulfo's knighthood is challenged by Torrismondo, who claims that Sofronia, whose honor was defended fifteen years earlier by Agilulfo, had already been dishonored and is, in fact, his mother.

Agilulfo sets out to disprove this charge against Sofronia's virginity at the time of his chivalric gesture while Torrismondo seeks the knights of the Holy Grail, one of whom is supposedly his father. Sofronia's honor, it turns out, had indeed been saved by Agilulfo; she is not Torrismondo's mother, but rather his step-sister. But before he finds this out and considering himself dishonored, Agilulfo leaves his armor for Rambaldo and allows his intelligence to dissolve. Rambaldo, wearing the armor, seduces Bradamante, but when she discovers his true identity she flees and returns once again to the convent. Torrismondo marries Sofronia, and Gurdulú wanders the countryside, seeking his lost master. After a long search Rambaldo happens upon the convent, finds Brandamante, and this time she runs willingly to join him.

I nostri antenati can be viewed as the philosophical center of Calvino's narrative writing to date. Unlike most neo-realists, he often goes back in time for the setting of his novels. Historically fanciful adventure allows for greater freedom of movement but in no way lessens the impact of the topical human drama. The modern image may be transformed, put into the garb of past ages, yet the constant example of action is clearly stated. The plots, unwinding extravagantly in a natural setting of minute and ordered profusion, reflect Calvino's naturalist interests — the result of his background and early environment. Raised on the Riviera, in San Remo where both his parents were professors, his father an agronomist, his mother a botanist, Calvino's early years were strongly influenced in the direction of the natural sciences and by the landscape of his childhood. This is apparent in almost every page he writes, and explains in part the contrast between his vision of the physical world, pictorially precise and detailed, and the ambiguous activity of his quixotic characters.

The protagonists of *I nostri antenati* are often the victims of circumstance, but it matters little that the particular circumstances may be contrary to any physical phenomena that have ever existed in the world. The spiritual circumstances, the elusive and ambivalent desires and aspirations of man — desires and needs often operating at cross purposes — are what Calvino is really pursuing. The two halves of Medardo, Cosimo in the trees and Agilulfo in his empty armor have an inner reality which we follow. If we initially question the plausibility of their seemingly whimsical demeanor, we soon realize that the agony of their doubts and quest mirrors our own need for intactness. For their fragmentation, their alienation is ours as well. When, with Calvino, we appraise the historical efficacy of the Renaissance ideal and witness its degeneration in the modern world, we understand that his protagonists are the various voices of the incompleteness of man. A relatively early stage of doubt is Cosimo's, resolved temporarily through the simple physical expedient of separation from a society that is ironically in the throes of "enlightenment." Yet one is aware throughout that Cosimo has not really left that world. He hovers over it, alternately its victim and its critic, accepting certain worldly responsibilities as titular head of a family, and remaining emotionally bound to *le faccende della terra.*

Medardo's role would seem to be more cynically self-conscious, more destructive, another aspect of man's ambivalent nature. It is certainly not a fortuitous choice of words that Calvino makes when discussing him in the introduction as "dimidiato," choosing a botanical and zoological term from a physical realm of predictable constancy. This is the one persistent source of lyricism in Calvino's writing: the constancy of the self-perpetuating fields and thick woods where teeming forms of plant and animal life continue their unaggressive, isolated existence, consoling man for his own inconstancy, undisturbed even by the murderous bestiality of man's inevitable perversities. Cosimo returns to a stage in natural development that denies the efficacy of progress, while remaining at the same time unable to live completely without its benefits. Medardo mutilates as he has been mutilated, acting as a mental cripple. Agilulfo would deny form as an ultimate point reached by man's use of reason, but reason is not enough to discover truth and Agilulfo disappears, while Gurdulú, equally incomplete, wanders the face of the earth, trying to become one with any natural form that has its own identity.

There are two moments of truth for Calvino's protagonists: the one in which they first become aware of the destructive forces in others, and the second, when they discover the truth of these same forces in themselves. Thus their most anti-social acts are mitigated when seen in this perspective. Man's ambivalence is as inevitable as the sum of his strengths and weaknesses. Calvino faces an eternal and universal problem. He seems to be stating its resolution in terms of his own particular literary temperament of emotive as well as rational behavior, that is, in the ultimate congruity of the incongruous.

il

visconte dimezzato

i

C'era una guerra contro i turchi.[1]
Il visconte Medardo di Terralba, mio zio, cavalcava per la pianura
di Boemia diretto all'accampamento dei cristiani. Lo seguiva uno
scudiero a nome Curzio. Le cicogne volavano basse, in bianchi
stormi, traversando l'aria opaca e ferma.

— Perché tante cicogne? — chiese Medardo a Curzio, — dove
volano?

Mio zio era nuovo arrivato, essendosi arruolato appena allora,[2]
per compiacere certi duchi nostri vicini impegnati in quella guerra.

[1] The war between Austria and Turkey, 1716.
[2] *essendosi . . . allora* having enlisted just then

S'era munito d'un cavallo e d'uno scudiero all'ultimo castello in mano cristiano, e andava a presentarsi al quartiere imperiale.

— Volano ai campi di battaglia, — disse lo scudiero, tetro. — Ci accompagneranno per tutta la strada.

Il visconte Medardo aveva appreso che in quei paesi il volo delle cicogne è segno di fortuna; e voleva mostrarsi lieto di vederle. Ma si sentiva, suo malgrado,[3] inquieto.

— Cosa mai [4] può richiamare i trampolieri sui campi di battaglia, Curzio? — chiese.

— Anch'essi mangiano carne umana, ormai, — rispose lo scudiero, — da quando la carestia ha inaridito le campagne e la siccità ha seccato i fiumi. Dove ci son cadaveri, le cicogne e i fenicotteri e le gru hanno sostituito i corvi e gli avvoltoi.

Mio zio era allora nella prima giovinezza: l'età in cui i sentimenti stanno tutti in uno slancio confuso, non distinti ancora in male e in bene; l'età in cui ogni nuova esperienza, anche macabra e inumana, è tutta trepida e calda d'amore per la vita.

— E i corvi? E gli avvoltoi? — chiese. — E gli altri uccelli rapaci? Dove sono andati? — Era pallido, ma i suoi occhi scintillavano.

Lo scudiero era un soldato nerastro, baffuto, che non alzava mai lo sguardo. — A furia di [5] mangiare i morti di peste, la peste ha preso anche loro, — e indicò con la lancia certi neri cespugli, che a uno sguardo più attento si rivelavano non di frasche, ma di penne e stecchite zampe di rapace.

— Ecco che non si sa chi sia morto prima, se l'uccello o l'uomo, e chi si sia buttato sull'altro per sbranarlo, — disse Curzio.

Per sfuggire alla peste che sterminava le popolazioni, famiglie intere s'erano incamminate per le campagne, e l'agonia le aveva colte lí. In groppi di carcasse, sparsi per la brulla pianura, si vedevano corpi d'uomo e donna, nudi, sfigurati dai bubboni e, cosa

---

[3] *suo malgrado*   in spite of himself
[4] *Cosa mai*   Whatever
[5] *A furia di*   As a result of

dapprincipio inspiegabile, pennuti: come se da quelle loro maci-
lente braccia e costole fossero cresciute nere penne e ali. Erano le
carogne d'avvoltoio mischiate ai loro resti.

Già il terreno s'andava disseminando [6] dei segni d'avvenute
battaglie. L'andatura s'era fatta piú lenta perché i due cavalli   5
s'impuntavano in scarti e impennate.

— Cosa prende ai nostri cavalli?—chiese Medardo allo scudiero.

— Signore, — lui rispose, — niente spiace ai cavalli quanto
l'odore delle proprie budella.

La fascia di pianura che stavano traversando era infatti cosparsa   10
di carogne equine, talune supine, con gli zoccoli rivolti al cielo,
altre prone, col muso infossato nella terra.

— Perché tanti cavalli caduti in questo punto, Curzio? — chiese
Medardo.

— Quando il cavallo sente d'essere sventrato, — spiegò Curzio,   15
— cerca di trattenere le sue viscere. Alcuni posano la pancia a
terra, altri si rovesciano sul dorso per non farle penzolare. Ma la
morte non tarda a coglierli ugualmente.

— Dunque sono soprattutto i cavalli a morire, in questa guerra?

— Le scimitarre turche sembrano fatte apposta per fendere   20
d'un colpo i loro ventri. Piú avanti vedrà i corpi degli uomini.
Prima tocca ai cavalli e dopo ai cavalieri. Ma ecco, il campo è là.

Ai margini dell'orizzonte s'alzavano i pinnacoli delle tende
piú alte, e gli stendardi dell'esercito imperiale, e il fumo.

Galoppando avanti, videro che i caduti dell'ultima battaglia   25
erano stati quasi tutti rimossi e seppelliti. Solo se ne scopriva
qualche sparso membro, specialmente dita, posato sulle stoppie.

— Ogni tanto c'è un dito che c'indica la strada, — disse mio zio
Medardo. — Che vuol dire?

— Dio li perdoni: i vivi mozzano le dita ai morti per portar via   30
gli anelli.

— Chi va là? — disse una sentinella dal cappotto ricoperto di
muffe e muschi come la corteccia d'un albero esposto a tramontana.

---

[6] *s'andava disseminando* [Andare is often used as an auxiliary with
the present participle to indicate continuous action.]

— Viva la sacra corona imperiale! — gridò Curzio.

— E il sultano muoia! — replicò la sentinella. — Ma, vi prego, arrivati al comando dite loro quando si decidono a mandarmi il cambio,[7] ché ormai metto radici!

I cavalli ora correvano per sfuggire alla nuvola di mosche che circondava il campo, ronzando sulle montagne d'escrementi.

— Di molti valorosi, — osservò Curzio, — lo sterco d'ieri è ancora in terra, e loro sono già in cielo, — e si segnò.

All'ingresso dell'accampamento, fiancheggiarono una fila di baldacchini, sotto ai quali donne ricce e spesse, con lunghe vesti di broccato e i seni nudi, li accolsero con urla e risatacce.

— Sono i padiglioni delle cortigiane, — disse Curzio. — Nessun altro esercito ne ha di cosí belle.

Mio zio già cavalcava col viso voltato indietro, a guardar loro.

— Attento, signore, — aggiunse lo scudiero, — sono tanto sozze e impestate che non le vorrebbero neppure i turchi come preda d'un saccheggio. Ormai non son piú soltanto cariche di piattole, cimici e zecche, ma indosso a loro fanno il nido gli scorpioni e i ramarri.

Passarono davanti alle batterie da campo. A sera, gli artiglieri facevano cuocere il loro rancio d'acqua e rape sul bronzo delle spingarde e dei cannoni, arroventato dal gran sparare della giornata.

Arrivavano dei carri pieni di terra e gli artiglieri la passavano al setaccio.

— Già scarseggia la polvere da sparo, — spiegò Curzio, — ma la terra dove si son svolte le battaglie n'è tanto impregnata che, volendo, si può recuperare qualche carica.

Dopo venivano gli stalli della cavalleria, dove, tra le mosche, i veterinari sempre all'opera rabberciavano la pelle dei quadrupedi con cuciture, cinti ed empiastri di catrame bollente, tutti nitrendo e scalciando, anche i dottori.

Gli attendamenti delle fanterie seguitavano poi per un gran

---

[7] *arrivati . . . cambio* when you arrive at headquarters, ask them when they are going to make up their minds to send the relief guard

tratto. Era il tramonto, e davanti a ogni tenda i soldati erano seduti coi piedi scalzi immersi in tinozze d'acqua tiepida. Soliti [8] com'erano a improvvisi allarmi notte e giorno, anche nell'ora del pediluvio tenevano l'elmo in testa e la picca stretta in pugno. In tende piú alte e drappeggiate a chiosco, gli ufficiali s'incipriavano le ascelle e si facevano vento con ventagli di pizzo.[9]

— Non lo fanno per effeminatezza, — disse Curzio, — anzi: vogliono mostrare di trovarsi completamente a loro agio nelle asprezze della vita militare.

Il visconte di Terralba fu subito introdotto alla presenza del- [10] l'imperatore. Nel suo padiglione tutto arazzi e trofei, il sovrano studiava sulle carte geografiche i piani di future battaglie. I tavoli erano ingombri di carte srotolate e l'imperatore vi piantava degli spilli, traendoli da un cuscinetto puntaspilli che uno dei marescialli gli porgeva. Le carte erano ormai tanto cariche di spilli che non [15] si capiva piú niente, e per leggervi qualcosa dovevano togliere gli spilli e poi rimetterceli. In questo togli e metti, per aver libere le mani, sia l'imperatore che i marescialli [10] tenevano gli spilli tra le labbra e potevano parlare solo a mugolii.

Alla vista del giovane che s'inchinava davanti a lui, il sovrano [20] emise un mugolío interrogativo e si cavò tosto gli spilli dalla bocca.

— Un cavaliere appena giunto dall'Italia, maestà, — lo presentarono, — il visconte di Terralba, d'una delle piú nobili famiglie del Genovesato.[11]

— Sia nominato subito tenente. [25]

Mio zio batté gli speroni scattando sull'attenti,[12] mentre l'imperatore faceva un ampio gesto regale e tutte le carte geografiche s'avvolgevano su se stesse e rotolavano giù.

[8] *Soliti*   Accustomed
[9] *s'incipriavano . . . pizzo*   were powdering their armpits and fanning themselves with lace fans
[10] *sia . . . marescialli*   both the emperor and the marshals
[11] *il Genovesato*   [the region of Genoa]
[12] *Mio . . . attenti*   My uncle clicked his spurs together, springing to attention

Quella notte, benché stanco, Medardo tardò a dormire. Camminava avanti e indietro vicino alla sua tenda e sentiva i richiami delle sentinelle, i cavalli nitrire e il rotto parlar nel sonno di qualche soldato. Guardava in cielo le stelle di Boemia, pensava al nuovo grado, alla battaglia dell'indomani, e alla patria lontana, al suo fruscío di canne nei torrenti. In cuore non aveva né nostalgia, né dubbio, né apprensione. Ancora per lui le cose erano intere e indiscutibili, e tale era lui stesso. Se avesse potuto prevedere la terribile sorte che l'attendeva, forse avrebbe trovato anch'essa naturale e compiuta, pur in tutto il suo dolore. Tendeva lo sguardo al margine dell'orizzonte notturno, dove sapeva essere il campo dei nemici, e a braccia conserte si stringeva con le mani le spalle, contento d'aver certezza insieme di realtà lontane e diverse, e della propria presenza in mezzo a esse. Sentiva il sangue di quella guerra crudele, sparso per mille rivi sulla terra, giungere fino a lui; e se ne lasciava lambire, senza provare accanimento né pietà.

ii

La battaglia cominciò puntual-
mente alle dieci del mattino. Dall'alto della sella, il luogotenente
Medardo contemplava l'ampiezza dello schieramento cristiano,
pronto per l'attacco, e protendeva il viso al vento di Boemia, che
sollevava odor di pula come da un'aia polverosa.   5

— No, non si volti indietro, signore; — esclamò Curzio che,
col grado di sergente, era al suo fianco. E, per giustificare la frase
perentoria, aggiunse, piano: — Dicono porti male,[1] prima del
combattimento.

In realtà, non voleva che il visconte si scorasse, avvedendosi che   10
l'esercito cristiano consisteva quasi soltanto in quella fila schierata,

[1] *Dicono porti male*   They say that it brings bad luck

e che le forze di rincalzo erano appena qualche squadra di fanti
male in gamba.[2]

Ma mio zio guardava lontano, alla nuvola che s'avvicinava al-
l'orizzonte, e pensava: «Ecco, quella nuvola è i turchi, i veri turchi,
e questi al mio fianco che sputano tabacco sono i veterani della
cristianità, e questa tromba che ora suona è l'attacco, il primo
attacco della mia vita, e questo boato e scuotimento, il bolide che
s'insacca in terra guardato con pigra noia dai veterani e dai cavalli
è una palla di cannone, la prima palla nemica che io incontro. Cosí
non venga il giorno [3] in cui dovrò dire: "E questa è l'ultima"».

A spada sguainata, si trovò a galoppare per la piana, gli occhi
allo stendardo imperiale che spariva e riappariva tra il fumo,
mentre le cannonate amiche ruotavano nel cielo sopra il suo capo, e
le nemiche già aprivano brecce nella fronte cristiana e improvvisi
ombrelli di terriccio. Pensava: «Vedrò i turchi! Vedrò i turchi!»
Nulla piace agli uomini quanto avere dei nemici e poi vedere se
sono proprio come ci s'immagina.

Li vide, i turchi. Ne arrivavano due proprio di lí. Coi cavalli
intabarrati, il piccolo scudo tondo, di cuoio, la veste a righe nere
e zafferano. E il turbante, la faccia color ocra e i baffi come uno che
a Terralba era chiamato «Miché il turco». Uno dei due turchi morí
e l'altro uccise un altro. Ma ne stavano arrivando chissà quanti e
c'era il combattimento all'arma bianca.[4] Visti due turchi era come
averli visti tutti. Erano militari pure loro, e tutte quelle robe erano
dotazione dell'esercito. Le facce erano cotte e cocciute come i
contadini. Medardo, per quel che era vederli, ormai li aveva visti;
poteva tornarsene da noi a Terralba in tempo per il passo delle
quaglie.[5] Invece aveva fatto la ferma per la guerra. Cosí correva,
scansando i colpi delle scimitarre, finché non trovò un turco basso,
a piedi, e l'ammazzò. Visto come si faceva, andò a cercarne uno
alto a cavallo, e fece male. Perché erano i piccoli, i dannosi.

---

[2] *male in gamba*   not too steady on their feet
[3] *non venga il giorno*   may the day never come
[4] *il combattimento all'arma bianca*   fighting with cold steel, side-arms
[5] *il passo delle quaglie*   the passage of the quail

Andavano fin sotto i cavalli, con quelle scimitarre, e li squartavano.
Il cavallo di Medardo si fermò a gambe larghe.[6] — Che fai? —
disse il visconte. Curzio sopraggiunge indicando in basso: —
Guardi un po' lí. — Aveva tutte le coratelle digià in terra. Il
povero animale guardò in su, al padrone, poi abbassò il capo come   5
volesse brucare gli intestini, ma era solo uno sfoggio d'eroismo:
svenne e poi morí. Medardo di Terralba era appiedato.

— Prenda il mio cavallo, tenente, — disse Curzio, ma non
riuscí a fermarlo perché cadde di sella, ferito da una freccia turca,
e il cavallo corse via.   10

— Curzio! — gridò il visconte e s'accostò allo scudiero che
gemeva in terra.

— Non pensi a me, signore, — fece lo scudiero. — Speriamo
solo che all'ospedale ci sia ancora della grappa. Ne tocca una
scodella a ogni ferito.[7]   15

Mio zio Medardo si gettò nella mischia. Le sorti della battaglia
erano incerte. In quella confusione, pareva che a vincere fossero
i cristiani. Di certo, avevano rotto lo schieramento turco e aggirato
certe posizioni. Mio zio, con altri valorosi, s'era spinto fin sotto le
batterie nemiche, e i turchi le spostavano, per tenere i cristiani sotto   20
il fuoco. Due artiglieri turchi facevano girare un cannone a ruote.
Lenti com'erano, barbuti, intabarrati fino ai piedi, sembravano due
astronomi. Mio zio disse: — Adesso arrivo lí e li aggiusto io —.[8]
Entusiasta e inesperto, non sapeva che ai cannoni ci s'avvicina
solo di fianco o dalla parte della culatta. Lui saltò di fronte alla   25
bocca da fuoco, a spada sguainata, e pensava di fare paura a quei
due astronomi. Invece gli spararono una cannonata in pieno petto.
Medardo di Terralba saltò in aria.

Alla sera, scesa la tregua, due carri andavano raccogliendo i
corpi dei cristiani per il campo di battaglia. Uno era per i feriti   30
e l'altro per i morti. La prima scelta si faceva lí sul campo. —

---

[6] *a gambe larghe*   with outstretched legs
[7] *Ne tocca una scodella a ogni ferito.*   Every wounded man gets a bowl.
[8] *li aggiusto io*   I'll give them what's coming to them; I'll fix them.

Questo lo prendo io, quello lo prendi tu —. Dove sembrava ci fosse ancora qualcosa da salvare, lo mettevano sul carro dei feriti; dove erano solo pezzi e brani andava sul carro dei morti, per aver sepoltura benedetta; quello che non era piú neanche un cadavere era lasciato in pasto alle cicogne. In quei giorni, viste le perdite crescenti, s'era data la disposizione che nei feriti era meglio abbondare. Cosí i resti di Medardo furono considerati un ferito e messi su quel carro.

La seconda scelta si faceva all'ospedale. Dopo le battaglie l'ospedale del campo offriva una vista ancor piú atroce delle battaglie stesse. In terra c'era la lunga fila delle barelle con dentro quegli sventurati, e tutt'intorno imperversavano i dottori, strappandosi di mano pinze, seghe, aghi, arti amputati e gomitoli di spago.[9] Morto per morto, a ogni cadavere facevan di tutto per farlo tornar vivo. Sega qui, cuci là, tampona falle, rovesciavano le vene come guanti, e le rimettevano a suo posto, con dentro piú spago che sangue, ma rattoppate e chiuse. Quando un paziente moriva, tutto quello che aveva di buono [10] serviva a racconciare le membra di un altro, e cosí via. La cosa che imbrogliava di piú erano gli intestini: una volta srotolati non si sapeva piú come rimetterli.

Tirato via il lenzuolo, il corpo del visconte apparve orrendamente mutilato. Gli mancava un braccio e una gamba, non solo, ma tutto quello che c'era di torace e d'addome tra quel braccio e quella gamba era stato portato via, polverizzato da quella cannonata preso in pieno.[11] Del capo restavano un occhio, un orecchio, una guancia, mezzo naso, mezza bocca, mezzo mento e mezza fronte: dell'altra metà del capo c'era piú solo una pappetta. A farla breve, se n'era salvato solo metà, la parte destra, che peraltro era perfettamente conservata, senza neanche una scalfittura, escluso quel-

---

[9] *strappandosi di mano pinze . . . spago* tearing from each other's hands forceps, saws, needles, amputated limbs and balls of string
[10] *tutto quello che aveva di buono* everything he had that was in good condition
[11] *preso in pieno* that struck him in the middle

l'enorme squarcio che l'aveva separata dalla parte sinistra andata in bricioli.

I medici: tutti contenti. — Uh, che bel caso! — Se non moriva nel frattempo, potevano provare anche a salvarlo. E gli si misero d'attorno, mentre i poveri soldati con una freccia in un braccio morivano di setticemia. Cucirono, applicarono, impastarono: chi lo sa cosa fecero. Fatto sta che l'indomani mio zio aperse l'unico occhio, la mezza bocca, dilatò la narice e respirò. La forte fibra dei Terralba aveva resistito. Adesso era vivo e dimezzato.

...
111

Quando mio zio fece ritorno a
Terralba, io avevo sette o otto anni. Fu di sera, già a buio; era
ottobre; il cielo era coperto. Il giorno avevamo vendemmiato e
attraverso i filari vedevamo nel mare grigio avvicinarsi le vele
d'una nave che batteva bandiera imperiale.[1] Ogni nave che si
vedeva allora, si diceva: — Questo è Mastro Medardo che ritorna
—, non perché fossimo impazienti che tornasse, ma tanto per aver
qualcosa da aspettare. Quella volta avevamo indovinato: ne fummo
certi alla sera, quando un giovane chiamato Fiorfiero, pigiando
l'uva in cima al tino, gridò: — Oh, laggiú, —: era quasi buio e
vedemmo in fondovalle una fila di torce accendersi per la mulat-

---

[1] *che batteva bandiera imperiale* that was flying the imperial flag

tiera; e poi, quando passò sul ponte, distinguemmo una lettiga trasportata a braccia. Non c'era dubbio: era il visconte che tornava dalla guerra.

La voce si sparse[2] per le vallate; nella corte del castello s'aggruppò gente: familiari, famigli, vendemmiatori, pastori, gente d'arme. Mancava solo il padre di Medardo, il vecchio visconte Aiolfo, mio nonno, che da tempo non scendeva piú neanche nella corte. Stanco delle faccende del mondo, aveva rinunciato alle prerogative del titolo a favore dell'unico suo figliolo maschio, prima ch'egli partisse per la guerra. Ora la sua passione per gli uccelli, che allevava dentro il castello in una grande voliera, s'era andata facendo piú esclusiva: il vecchio s'era portato in quell'uccelliera anche il suo letto, e ci s'era rinchiuso, e non ne usciva né di giorno né di notte. Gli porgevano i pasti assieme al becchime pei volatili attraverso le inferriate dell'uccelliera, e Aiolfo divideva ogni cosa con quelle creature. E passava le ore accarezzando sul dorso i fagiani, le tortore, in attesa del ritorno dalla guerra di suo figlio.

Nella corte del nostro castello io non avevo mai visto tanta gente: era passato il tempo, di cui ho solo sentito raccontare, delle feste e delle guerre tra vicini. E per la prima volta m'accorsi di come i muri e le torri fossero in rovina, e fangosa la corte, dove usavamo dare l'erba alle capre e riempire il truogolo ai maiali. Tutti, aspettando, discutevano di come il visconte Medardo sarebbe ritornato; da tempo era giunta la notizia di gravi ferite che egli aveva ricevute dai turchi, ma ancora nessuno sapeva di preciso se fosse mutilato, o infermo, o soltanto sfregiato dalle cicatrici: e ora l'aver visto la lettiga ci preparava al peggio.

Ed ecco la lettiga veniva posata a terra,[3] e in mezzo all'ombra nera si vide il brillío d'una pupilla. La grande vecchia balia Sebastiana fece per avvicinarsi, ma da quell'ombra si levò una mano con un aspro gesto di diniego. Poi si vide il corpo nella

---

[2] *La voce si sparse*   the rumour spread
[3] *la lettiga veniva posata a terra*   the litter was placed on the ground [*Venire* is often used instead of *essere* to construct the passive voice.]

lettiga agitarsi in uno sforzo angoloso e convulso, e davanti ai nostri occhi Medardo di Terralba balzò in piedi, puntellandosi a una stampella. Un mantello nero col cappuccio gli scendeva dal capo fino a terra; dalla parte destra era buttato all'indietro, scoprendo metà del viso e della persona stretta alla stampella, mentre sulla sinistra sembrava che tutto fosse nascosto e avvolto nei lembi e nelle pieghe di quell'ampio drappeggio.

Stette a guardarci, noi in cerchio attorno a lui, senza che nessuno dicesse parola; ma forse con quel suo occhio fisso non ci guardava affatto, voleva solo allontanarci da sé. Un'alzata di vento venne su dal mare e un ramo rotto in cima a un fico mandò un gemito. Il mantello di mio zio ondeggiò, e il vento lo gonfiava, lo tendeva come una vela e si sarebbe detto che gli attraversasse il corpo, anzi, che questo corpo non ci fosse affatto, e il mantello fosse vuoto come quello d'un fantasma. Poi, guardando meglio, vedemmo che aderiva come a un'asta di bandiera,[4] e quest'asta erano la spalla, il braccio, il fianco, la gamba, tutto quello che di lui poggiava sulla gruccia: e il resto non c'era.

Le capre osservavano il visconte col loro sguardo fisso e inespressivo, girate ognuna in una posizione diversa ma tutte serrate, con i dorsi disposti in uno strano disegno d'angoli retti. I maiali, piú sensibili e pronti, strillarono e fuggirono urtandosi tra loro con le pance, e allora neppure noi potemmo piú nascondere d'esser spaventati. — Figlio mio! — gridò la balia Sebastiana e alzò le braccia. — Meschinetto!

Mio zio, contrariato d'aver destato in noi tale impressione, avanzò la punta della stampella sul terreno e con un movimento a compasso si spinse verso l'entrata del castello. Ma sui gradini del portone s'erano seduti a gambe incrociate i portatori della lettiga, tipacci mezzi nudi, con gli orecchini d'oro e il cranio raso su cui crescevano creste o code di capelli. Si rizzarono, e uno con la treccia, che sembrava il loro capo, disse: — Noi aspettiamo il compenso, señor.

---

[4] *come a un'asta di bandiera*   as it would to a flagstaff

— Quanto? — chiese Medardo, e si sarebbe detto che ridesse.

L'uomo con la treccia disse: — Voi sapete qual'è il prezzo per il trasporto di un uomo in lettiga...

Mio zio si sfilò una borsa dalla cintola e la gettò tintinnante ai piedi del portatore. Costui la soppesò appena, ed esclamò: — Ma questo è molto meno della somma pattuita, señor!

Medardo, mentre il vento gli sollevava i lembi del mantello, disse: — La metà —. Oltrepassò il portatore e spiccando piccoli balzi sul suo unico piede salí i gradini, entrò per la gran porta spalancata che dava nell'interno del castello, spinse a colpi di gruccia entrambi i pesanti battenti che si chiusero con fracasso, e ancora, poich'era rimasto aperto l'usciolo, lo sbatté, scomparendo ai nostri sguardi. Da dentro continuammo a sentire i tonfi alternati del piede e della gruccia, che muovevano nei corridoi verso l'ala del castello dov'erano i suoi alloggi privati, e anche là sbattere e inchiavardar di porte.

Fermo dietro l'inferriata dell'uccelliera, lo attendeva suo padre. Medardo non era neppur passato a salutarlo: s'era chiuso nelle sue stanze solo, e non volle mostrarsi o rispondere neppure alla balia Sebastiana che restò a lungo a bussare e a compatirlo.

La vecchia Sebastiana era una gran donna nerovestita e velata, con il viso rosa senza una ruga, tranne quella che quasi le nascondeva gli occhi; aveva dato il latte a tutti i giovani della famiglia Terralba, ed era andata a letto con tutti i piú anziani, e aveva chiuso gli occhi a tutti i morti. Ora andava e tornava per le logge dall'uno all'altro dei due rinchiusi, e non sapeva come venire in loro aiuto.

L'indomani, poiché Medardo continuava a non dar segno di vita, ci rimettemmo alla vendemmia, ma non c'era allegria, e nelle vigne non si parlava d'altro che della sua sorte, non perché ci stesse molto a cuore, ma perché l'argomento era attraente e oscuro. Solo la balia Sebastiana rimase nel castello, spiando con attenzione ogni rumore.[5]

---

[5] *spiando . . . rumore* listening carefully to every noise

Ma il vecchio Aiolfo, quasi prevedendo che il figlio sarebbe ritornato cosí triste e selvatico, aveva già da tempo addestrato uno dei suoi animali piú cari, un'averla, a volare fino all'ala del castello in cui erano gli alloggi di Medardo, allora vuoti, e a entrare per la finistrella della sua stanza. Quel mattino il vecchio aperse lo sportello all'averla, ne seguí il volo fino alla finestra del figlio, poi tornò a sporgere il becchime alle gazze e alle cince, imitando i loro zirli.

Di lí a poco,[6] sentí il tonfo d'un oggetto scagliato contro le impannate. Si sporse fuori, e sul cornicione c'era la sua averla stecchita. Il vecchio la raccolse nel cavo delle mani e vide che un'ala era spezzata come avessero tentato di strappargliela, una zampina era troncata come per la stretta di due dita, e un occhio era divelto. Il vecchio strinse l'averla al petto e prese a piangere.

Si mise a letto lo stesso giorno, e i famigli di là dalle inferriate della voliera vedevano che stava male. Ma nessuno poté andare a curarlo perché s'era chiuso dentro nascondendo le chiavi. Intorno al suo letto volavano gli uccelli. Da quando s'era coricato avevano preso tutti a svolazzare e non volevano posarsi né smettere di battere le ali.

La mattina dopo, la balia, affacciandosi all'uccelliera, vide che il visconte Aiolfo era morto. Gli uccelli erano tutti posati sul suo letto, come su un tronco galleggiante in mezzo al mare.

[6] *di lí a poco*   a short while later

iv

Dopo la morte di suo padre, Medardo cominciò a uscire dal castello. Fu ancora la balia Sebastiana la prima a accorgersene, un mattino, trovando le porte spalancate e le stanze deserte. Una squadra di servi fu mandata per la campagna a seguire le tracce del visconte. I servi correvano e passarono sotto un albero di pero che avevan visto, a sera, carico di frutti tardivi ancora acerbi. — Guarda lassú, — disse uno dei servi: videro le pere che pendevano contro il cielo albeggiante e a vederle furono presi da terrore. Perché non erano intere, erano tante metà di pera tagliate per il lungo [1] e appese ancora ciascuna al proprio gambo: d'ogni pera però c'era solo la metà di destra (o di

---

[1] *per il lungo* lengthwise

sinistra secondo da dove si guardava, ma erano tutte dalla stessa
parte) e l'altra metà era sparita, tagliata o forse morsa.

— Il visconte è passato di qui! — dissero i servi. Certo, dopo
esser stato chiuso a digiuno [2] tanti giorni, quella notte gli era venuta
fame, e al primo albero era montato su a mangiare pere.

Andando, i servi su una pietra incontrarono mezza rana che
saltava, per la virtú delle rane, ancora viva. — Siamo sulla traccia
giusta! — e proseguirono. Si smarrirono, perché non avevano visto
tra le foglie mezzo melone, e dovettero tornare indietro finché
non l'ebbero trovato.[3]

Cosí dai campi passarono nel bosco e videro un fungo tagliato
a mezzo, un porcino, poi un altro, un boleto rosso velenoso, e
via via andando per il bosco [4] continuarono a trovare, uno ogni
tanto, questi funghi che spuntavano da terra con mezzo gambo e
aprivano solo mezzo ombrello. Sembravano divisi con un taglio
netto, e dell'altra metà non si trovava neanche una spora. Erano
funghi d'ogni specie, vesce, ovuli, agarici; e i velenosi erano
pressapoco altrettanti che i mangiabili.[5]

Seguendo questa sparsa traccia i servi arrivarono al prato
chiamato «delle monache» dove c'era uno stagno in mezzo all'erba.
Era l'aurora e sull'orlo dello stagno la figura esigua di Medardo,
ravvolta nel mantello nero, si specchiava nell'acqua, dove galleggia-
vano funghi bianchi o gialli o colore del terriccio. Erano le metà
dei funghi ch'egli aveva portato via, ed ora erano sparse su quella
superficie trasparente. Sull'acqua i funghi parevano interi e il
visconte li guardava: e anche i servi si nascosero sull'altra riva
dello stagno e non osarono dir nulla, fissando anch'essi i funghi
galleggianti, finché s'accorsero che erano solo funghi buoni da
mangiare. E i velenosi? Se non li aveva buttati nello stagno, cosa
mai ne aveva fatto? I servi si ridiedero alla corsa per il bosco.

[2] *a digiuno*   fasting
[3] *finché . . . trovato*   until they found it
[4] *e . . . bosco*   and as they went through the woods
[5] *e . . . mangiabili*   and the poisonous ones were almost as numerous
as the edible ones

Non ebbero da andar lontano perché sul sentiero incontrarono un bambino con un cesto: dentro aveva tutti quei mezzi funghi velenosi.

Quel bambino ero io. Nella notte giocavo da solo intorno al Prato delle Monache a farmi spavento sbucando d'improvviso di tra gli alberi, quando incontrai mio zio che saltava sul suo piede per il prato al chiaro di luna,[6] con un cestino infilato al braccio.

— Ciao, zio! — gridai: era la prima volta che riuscivo a dirglielo.

Lui sembrò contrariato di vedermi. — Vado per funghi, — mi spiegò.

— E ne hai presi?

— Guarda, — disse mio zio e ci sedemmo in riva a quello stagno. Lui andava scegliendo i funghi e alcuni li buttava in acqua, altri li lasciava nel cestino.

— Té, — disse dandomi il cestino con i funghi scelti da lui. — Fatteli fritti.

Io avrei voluto chiedergli perché nel suo cesto c'era solo metà d'ogni fungo; ma capii che la domanda sarebbe stata poco riguardosa, e corsi via dopo aver detto grazie. Stavo andando a farmeli fritti quando incontrai la squadra dei famigli, e seppi che erano tutti velenosi.

La balia Sebastiana, quando le raccontarono la storia, disse: — Di Medardo è ritornata la metà cattiva. Chissà oggi il processo.[7]

Quel giorno doveva esserci un processo contro una banda di briganti arrestati il giorno prima dagli sbirri del castello. I briganti erano gente del nostro territorio e quindi era il visconte che doveva giudicarli. Si fece il giudizio e Medardo sedeva nel seggio tutto per storto e si mordeva un'unghia. Vennero i briganti incatenati: il capo della banda era quel giovane chiamato Fiorfiero che era stato il primo ad avvistare la lettiga mentre pigiava l'uva. Venne

[6] *al chiaro di luna* in the moonlight
[7] *Chissà . . . processo.* Who knows (what will happen); today (is) the trial.

la parte lesa[8] ed erano una compagnia di cavalieri toscani che, diretti in Provenza,[9] passavano attraverso i nostri boschi quando Fiorfiero e la sua banda li avevano assaliti e derubati. Fiorfiero si difese dicendo che quei cavalieri erano venuti bracconando nelle nostre terre, e lui li aveva fermati e disarmati credendoli appunto bracconieri, visto che non ci pensavano gli sbirri. Va detto[10] che in quegli anni gli assalti briganteschi erano un'attività molto diffusa, per cui la legge era clemente. Poi i nostri posti erano particolarmente adatti al brigantaggio, cosicché pure qualche membro della nostra famiglia, specie nei tempi torbidi, s'univa alle bande dei briganti. Del bracconaggio non dico, era il delitto piú lieve che si potesse immaginare.

Ma le apprensioni della balia Sebastiana erano fondate. Medardo condannò Fiorfiero e tutta la sua banda a morire impiccati, come rei di rapina. Ma siccome i derubati a loro volta erano rei di bracconaggio, condannò anch'essi a morire sulla forca. E per punire gli sbirri, che erano intervenuti troppo tardi, e non avevano saputo prevenire né le malefatte dei bracconieri né quelle dei briganti, decretò la morte per impiccagione anche per loro.

In tutto erano una ventina di persone. Questa crudele sentenza produsse costernazione e dolore in tutti noi, non tanto per i gentiluomini toscani che nessuno avevo visto prima d'allora, quanto per i briganti e per gli sbirri che erano generalmente benvoluti. Mastro Pietrochiodo, bastaio e carpentiere, ebbe l'incarico di costruir la forca: era un lavoratore serio e d'intelletto, che si metteva d'impegno a ogni sua opera. Con gran dolore, perché due dei condannati erano suoi parenti, costruí una forca ramificata come un albero, le cui funi salivano tutte insieme manovrate da un solo argano; era una macchina cosí grande e ingegnosa che ci si poteva impiccare in una sola volta anche piú persone di quelle condannate, tanto che il visconte ne approfittò per appender dieci

[8] *la parte lesa*   the injured party; the plaintiff
[9] *diretti in Provenza*   bound for Provence
[10] *Va detto*   It should be said   [*Andare* used with a past participle indicates obligation.]

gatti alternati ogni due rei. I cadaveri stecchiti e le carogne di gatto penzolarono tre giorni e dapprima a nessuno reggeva il cuore di guardarli. Ma presto ci si accorse della vista imponente che davano, e anche il nostro giudizio si smembrava in disparati sentimenti, cosí che dispiacque persino decidersi a staccarli e a disfare la gran macchina. ⁵

V

Quelli erano per me tempi felici,
sempre per i boschi col dottor Trelawney cercando gusci d'animali
marini diventati pietre. Il dottor Trelawney era inglese: era
arrivato sulle nostre coste dopo un naufragio, a cavallo d'una botte
di bordò. Era stato medico sulle navi per tutta la sua vita e aveva
compiuto viaggi lunghi e pericolosi, tra i quali quelli con il famoso
capitano Cook, ma non aveva mai visto nulla al mondo perché
era sempre sottocoperta a giocare a tresette. Naufragato da noi,
aveva fatto subito la bocca al vino [1] chiamato «cancarone», il
piú aspro e grumoso delle nostre parti, e non sapeva piú farne

---

[1] *aveva . . . vino* he had immediately acquired a taste for the wine

senza,² tanto da portarsene sempre a tracolla una borraccia piena. Era rimasto a Terralba e diventato il nostro medico, ma non si preoccupava dei malati, bensí di sue scoperte scientifiche che lo tenevano in giro, — e me con lui, — per campi e boschi giorno e notte. Prima una malattia dei grilli, malattia impercettibile che solo un grillo su mille aveva e non ne pativa nessun danno; e il dottor Trelawney voleva cercarli tutti e trovar la cura adatta. Poi i segni di quando le nostre terre erano ricoperte del mare; e allora andavamo caricandoci di ciottoli e silici che il dottore diceva essere stati, ai loro tempi, pesci. Infine, l'ultima grande sua passione: i fuochi fatui. Voleva trovare il modo per prenderli e conservarli, e a questo scopo passavamo le notti a scorrazzare nel nostro cimitero, aspettando che tra le tombe di terra e d'erba s'accendesse qualcuno di quei vaghi chiarori, e allora cercavamo d'attirarlo a noi, di farcelo correr dietro e catturarlo, senza che si spegnesse, in recipienti che di volta in volta sperimentavamo: sacchi, fiaschi, damigiane spagliate, scaldini, colabrodi.³ Il dottor Trelawney s'era fatto la sua abitazione in una bicocca vicino al cimitero, che serviva una volta da casa del becchino, in quei tempi di fasto e guerre e epidemie in cui conveniva tenere un uomo a far solo quel mestiere. Là il dottore aveva impiantato il suo laboratorio, con ampolle d'ogni forma per imbottigliare i fuochi e reticelle come quelle da pesca per acchiapparli; e lambicchi e crogiuoli in cui egli scrutava come dalle terre dei cimiteri e dai miasmi dei cadaveri nascessero quelle pallide fiammelle. Ma non era uomo da restare a lungo assorto nei suoi studi: smetteva presto, usciva e andavamo insieme a caccia di nuovi fenomeni della natura.

Io ero libero come l'aria perché non avevo genitori e non appartenevo alla categoria dei servi né a quella dei padroni. Facevo parte della famiglia⁴ solo per tardivo riconoscimento, ma non

² *non . . . senza* he could no longer do without it
³ *sacchi . . . colabrodi* bags, flasks, demijohns from which the straw had been removed, braziers, colanders
⁴ *Facevo . . . famiglia* I was a member of the family

portavo il loro nome e nessuno era tenuto a educarmi.[5] La mia povera madre era figlia del visconte Aiolfo e sorella maggiore di Medardo, ma aveva macchiato l'onore della famiglia fuggendo con un bracconiere che fu poi mio padre. Io ero nato nella capanna del bracconiere, nei terreni gerbidi sotto il bosco; e poco dopo mio padre fu ucciso in una rissa, e la pellagra finí mia madre rimasta sola [6] in quella misera capanna. Io fui allora accolto nel castello perché mio nonno Aiolfo si prese pietà, e crebbi per le cure della gran balia Sebastiana. Ricordo che quando Medardo era ancora ragazzo e io avevo pochi anni, alle volte mi lasciava partecipare ai suoi giochi come fossimo di pari condizione; poi la distanza crebbe con noi, e io rimasi alla stregua dei servi. Ora nel dottor Trelawney trovai un compagno come mai ne avevo avuto.

Il dottore aveva sessant'anni ma era alto quanto me; aveva un viso rugoso come una castagna secca, sotto il tricorno e la parrucca; le gambe che le uose inguainavano fino a mezza coscia, sembravano piú lunghe, sproporzionate come quelle d'un grillo, anche per via dei lunghi passi che faceva; e indossava una marsina color tortora con le guarnizioni rosse, sopra alle quale portava a tracolla la borraccia del vino «cancarone».

La sua passione per i fuochi fatui ci spingeva a lunghe marce notturne per raggiungere i cimiteri dei paesi vicini, dove si potevano vedere talvolta fiamme piú belle per colore e grandezza di quelle del nostro camposanto abbandonato. Ma guai se questo nostro armeggiare era scoperto dai paesani: scambiati per ladri sacrileghi fummo inseguiti una volta per parecchie miglia da un gruppo d'uomini armati di roncole e tridenti.

Eravamo in posti scoscesi e torrentizi; io e il dottor Trelawney saltavamo a gambe levate [7] per le rocce ma sentivamo i paesani inferociti avvicinarsi dietro di noi. In un punto chiamato Salto della Ghigna un ponticello di tronchi attraversava un abisso pro-

---

[5] *nessuno . . . educarmi* no one was supposed to educate me
[6] *e la pellagra . . . sola* and pellagra finished off my mother, who had remained alone
[7] *a gambe levate* precipitously

fondissimo. Invece di passare il ponticello, io e il dottore ci
nascondemmo in un gradino di roccia proprio sul ciglio dell'abisso,
appena in tempo perché già avevamo alle calcagna i paesani. Non
ci videro, e gridando: — Dov'è che è che sono quei bastardi? —
corsero difilato per il ponte. Uno schianto, e urlando furono 5
inghiottiti a precipizio[8] nel torrente che correva laggiú in fondo.

A me e a Trelawney lo spavento per la nostra sorte si trasformò
in sollievo per il pericolo scampato e poi di nuovo in spavento per
l'orrenda fine che i nostri inseguitori avevan fatto. Osammo appena
sporgerci e guardare giú nel buio dove i paesani erano scomparsi. 10
Alzando gli occhi vedemmo i resti del ponticello: i tronchi erano
ancora ben saldi, solo che a metà erano spezzati come se li avessero
segati; né in altro modo potevamo spiegarci come quel grosso
legno avesse ceduto con una rottura cosí netta.

— C'è la mano di chi so io, — disse il dottor Trelawney, e 15
anch'io avevo già capito.

Infatti, s'udí un rapido zoccolío[9] e sul ciglio del burrone
comparvero un cavallo e un cavaliere mezz'avvolto in un mantello
nero. Era il visconte Medardo, che col suo gelido sorriso triangolare
contemplava la tragica riuscita del tranello, imprevista forse anche 20
a lui stesso: certo aveva voluto uccidere noi due; invece andò che
ci salvò la vita.[10] Tremanti, lo vedemmo correr via su quel suo
magro cavallo che saltava per le rocce come fosse figlio d'una
capra.

In quel tempo mio zio girava sempre a cavallo: s'era fatto 25
costruire dal bastaio Pietrochiodo una sella speciale a una cui staffa
egli poteva assicurarsi con cinghie, mentre all'altra era fissato un
contrappeso. A fianco della sella era agganciata una spada e una
stampella. E cosí il visconte cavalcava con in testa un cappello
piumato a larghe tese, che per metà scompariva sotto un'ala del 30

---

[8] *a precipizio*   headlong
[9] *s'udí . . . zoccolío*   we heard a rapid sound of hoofs
[10] *invece . . . vita*   instead, it turned out that he saved our lives

mantello sempre svolazzante. Dove si sentiva il rumor di zoccoli del suo cavallo tutti scappavano peggio che al passaggio di Galateo il lebbroso, e portavano via i bambini e gli animali, e temevano per le piante, perché la cattiveria del visconte non risparmiava nessuno e poteva scatenarsi da un momento all'altro nelle azioni piú impreviste e incomprensibili.

Non era stato mai malato e non aveva quindi mai avuto bisogno delle cure del dottor Trelawney; ma in un caso simile non so come il dottore se la sarebbe cavata,[11] lui che faceva di tutto per evitare mio zio e per non sentirne neppur parlare. A dirgli del visconte e delle sue crudeltà, il dottor Trelawney scuoteva il capo e arricciava le labbra mormorando: — Oh, oh, oh!... Zzt, zzt, zzt! — come quando gli si faceva un discorso sconveniente. E, per cambiar discorso,[12] attaccava a raccontare dei viaggi del capitano Cook. Una volta provai a chiedergli come, secondo lui, mio zio potesse vivere cosí mutilato, ma l'inglese non seppe dirmi altro che quel: — Oh, oh, oh!... Zzt, zzt, zzt! — Pareva che dal punto di vista della medicina, il caso di mio zio non suscitasse nessun interesse nel dottore; ma io cominciavo a pensare ch'egli fosse diventato medico solo per imposizione familiare o convenienza, e di tale scienza non gli importasse affatto. Forse la sua carriera di medico di bordo[13] era dovuto soltanto alla sua abilità nel gioco del tresette, per cui i piú famosi navigatori, prima fra tutti il capitano Cook, se lo contendevano come compagno di partita.

Una notte il dottor Trelawney pescava con la rete fuochi fatui nel nostro vecchio cimitero, quando si vide davanti Medardo di Terralba che faceva pascolare il suo cavallo sulle tombe. Il dottore era molto confuso e intimorito, ma il visconte gli si fece vicino e chiese con la difettosissima pronuncia della sua bocca dimezzata: — Lei cerca farfalle notturne, dottore?

[11] *non . . . cavata* I don't know how the doctor would have gotten out of it
[12] *per cambiar discorso* in order to change the subject
[13] *medico di bordo* ship's doctor

— Oh, milord, — rispose il dottore con un fil di voce,[14] — oh, oh, non proprio farfalle, milord... Fuochi fatui, sa? Fuochi fatui...

— Già, i fuochi fatui. Spesso anch'io me ne son chiesta l'origine.

— Da tempo, modestamente, ciò è oggetto dei miei studi, milord... — fece Trelawney, un po' rinfrancato da quel tono benevolo.

Medardo contorse in un sorriso la sua mezza faccia angolosa, dalla pelle tesa come un teschio.— Come studioso ella merita ogni aiuto, — gli disse. — Peccato che questo cimitero, abbandonato com'è, non sia un buon campo per i fuochi fatui. Ma le prometto che domani stesso provvederò d'aiutarla per quanto m'è possibile.

L'indomani era il giorno stabilito per l'amministrazione della giustizia, e il visconte condannò a morte una decina di contadini, perché secondo i suoi computi, non avevano corrisposto [15] tutta la parte di raccolto che dovevano al castello. I morti furono seppelliti nella terra delle fosse communi e il cimitero buttò fuori ogni notte una gran dovizia di fuochi. Il dottor Trelawney era tutto spaventato di quest'aiuto, sebbene lo trovasse molto utile ai suoi studi.

In queste tragiche congiunture, Mastro Pietrochiodo aveva di molto perfezionato la sua arte del costruire forche. Ormai erano dei veri capolavori di falegnameria e di meccanica, e non solo le forche, ma anche i cavalletti, gli argani e gli altri strumenti di tortura con cui il visconte Medardo strappava le confessioni agli accusati. Io ero spesso nella bottega di Pietrochiodo, perché era molto bello vederlo lavorare con tanta abilità e passione. Ma un cruccio pungeva sempre il cuore del bastaio. Ciò che lui costruiva erano patiboli per gli innocenti. «Come faccio, — pensava, — a farmi dar da costruire qualcosa d'altrettanto ben congegnato, ma che abbia un diverso scopo? E quali posson essere i nuovi meccanismi che io costruirei piú volentieri?» Ma non venendo a

[14] *con un fil di voce* in a very weak voice
[15] *non avevano corrisposto* they hadn't paid

capo di questi interrogativi, cercava di scacciarli dalla mente, accanendosi a fare gli impianti piú belli e ingegnosi che poteva.

— Devi dimenticarti lo scopo al quale serviranno, — diceva anche a me. — Guardali solo come meccanismi. Vedi quanto sono belli?

Io guardavo quelle architetture di travi, quel saliscendere di corde, quei collegamenti d'argani e carrucole, e mi sforzavo di non vederci sopra i corpi straziati, ma piú mi sforzavo piú ero obbligato a pensarci, e dicevo a Pietrochiodo: — Come faccio?

— E come faccio io, ragazzo, — replicava lui, — come faccio io, allora?

Ma malgrado strazi e paure, quei tempi avevano la loro parte di gioia. L'ora piú bella veniva quando il sole era alto e il mare d'oro, e le galline fatto l'uovo cantavano, e per i viottoli si sentiva il suono del corno del lebbroso. Il lebbroso passava ogni mattina a far la questua per i suoi compagni di sventura. Si chiamava Galateo, e portava appeso al collo un corno da caccia, il cui suono avvertiva da distante della sua venuta. Le donne udivano il corno e posavano sull'angolo del muretto uova, o zucchini, o pomodori, e alle volte un piccolo coniglio scuoiato; e poi scappavano a nascondersi portando via i bambini, perché nessuno deve rimanere nelle strade quando passa il lebbroso: la lebbra s'attacca da distante a perfino vederlo era pericolo. Preceduto dagli squilli del corno, Galateo veniva pian piano per i viottoli deserti, con l'alto bastone in mano, e la lunga veste tutta stracciata che toccava terra. Aveva lunghi capelli gialli stopposi e una tonda faccia bianca, già un po' sbertucciata dalla lebbra. Raccoglieva i doni, li metteva nella sua gerla, e gridava dei ringraziamenti verso le case dei contadini nascosti, con la sua voce melata, e mettendoci sempre qualche allusione da ridere o maligna.

A quei nostri tempi nelle contrade vicine al mare la lebbra era un male diffuso, e c'era vicino a noi un paesetto, Pratofungo, abitato solo da lebbrosi, ai quali eravamo tenuti a corrispondere dei doni,[16] che appunto raccoglieva Galateo. Quando qualcuno della marina o della campagna veniva colto [17] dalla lebbra, lasciava parenti e amici e andava a Pratofungo a passare il resto della sua vita attendendo d'esser divorato del male. Si parlava di grandi feste che accoglievano ogni nuovo giunto: da lontano si sentivano ⁵ fino a notte salire dalle case dei lebbrosi suoni e canti.

Molte cose si dicevano di Pratofungo, sebbene nessuno dei sani mai vi fosse stato; ma tutte le voci erano concordi nel dire [18] che là la vita era una perpetua baldoria. Il paese prima di diventare asilo di lebbrosi era stato un covo di prostitute dove convenivano ¹⁰ marinai d'ogni razza e d'ogni religione: e pareva che ancora le donne vi conservassero i costumi licenziosi di quei tempi. I lebbrosi non lavoravano la terra, tranne che una vigna d'uva fragola il cui vinello li teneva tutto l'anno in stato di sottile ebbrezza. La grande occupazione dei lebbrosi era suonare strani strumenti da ¹⁵ loro inventati, arpe alle cui corde erano appesi tanti campanellini, e cantare in falsetto, e dipingere le uova con pennellate d'ogni colore come fosse sempre Pasqua. Cosí, struggendosi in musiche dolcissime, con ghirlande di gelsomino intorno ai visi sfigurati, dimenticavano il consorzio umano dal quale la malattia li aveva divisi. ²⁰

Nessun medico nostrano aveva mai voluto prendersi cura dei lebbrosi, ma quando Trelawney si stabilí tra noi, qualcuno sperò che egli volesse dedicare la sua scienza a sanare quella piaga delle nostre regioni. Anch'io condividevo queste speranze nel mio modo infantile: da tempo avevo una gran voglia di spingermi fino a ²⁵ Pratofungo e d'assistere alle feste dei lebbrosi; e se il dottore si fosse messo a sperimentare i suoi farmaci su quegli sventurati, m'avrebbe forse qualche volta permesso d'accompagnarlo fin dentro il paese. Ma nulla di questo avvenne: appena sentiva il corno di Galateo, il dottor Trelawney scappava a gambe levate e ³⁰ nessuno sembrava aver piú di lui paura del contagio. Qualche volta

---

[16] *ai quali . . . doni* to whom we were obliged to give donations
[17] *veniva colto* was stricken [See note 3, Ch. III.]
[18] *ma tutte le voci . . . dire* but all the rumours were in agreement in saying

cercai d'interrogarlo sulla natura di quella malattia, ma lui diede
risposte evasive e smarrite, come se la sola parola «lebbra» bastasse
a metterlo a disagio.¹⁹

In fondo, non so perché ci ostinassimo a considerarlo un medico:
per le bestie, specie le piú piccole, per le pietre, per i fenomeni
naturali era pieno d'attenzione, ma gli esseri umani e le loro
infermità lo riempivano di ripugnanza e sgomento. Aveva orrore
del sangue, toccava solo con la punta delle dita gli ammalati, e
di fronte ai casi gravi si tamponava il naso con un fazzoletto di
seta bagnato nell'aceto. Pudico come una fanciulla, al vedere un
corpo nudo arrossiva; se poi si trattava d'una donna, teneva gli
occhi bassi e balbettava; donne, nei suoi lunghi viaggi per gli
oceani, pareva non ne avesse conosciute mai. Per fortuna da noi a
quei tempi i parti erano faccende da levatrici ²⁰ e non da medici, se
no chissà come si sarebbe tratto d'impegno.²¹

A mio zio venne l'idea degli incendi. Nella notte, tutt'a un
tratto, un fienile di miseri contadini bruciava, o un albero da legna,
o tutto un bosco. Si stava fino al mattino, allora, a passarci di mano
in mano secchi d'acqua per spegnere le fiamme. Le vittime erano
sempre poveracci che avevano avuto da dire col visconte,²² per
qualcuna delle sue ordinanze sempre piú severe e ingiuste, o per
i balzelli che aveva raddoppiato. Non contento d'incendiare i beni,
prese a dar fuoco agli abitati: ²³ pareva che s'avvicinasse di notte,
lanciasse esche infuocate sui tetti, e poi scappasse a cavallo; ma
mai nessuno riusciva a coglierlo sul fatto. Una volta morirono due
vecchi; una volta un ragazzo restò col cranio come scuoiato. Nei
contadini l'odio contro di lui cresceva. I suoi piú ostinati nemici

¹⁹ *bastasse . . . disagio*   were enough to make him uncomfortable
²⁰ *i parti . . . levatrici*   delivering children was the business of the
midwives
²¹ *se no . . . d'impegno*   if not, who knows how he would have gotten
himself out of the obligation
²² *che avevano . . . col visconte*   who bore a grudge against the
Viscount
²³ *prese . . . abitati*   he began to set fire to the villages

erano le famiglie di religione ugonotta che abitavano i casolari di Col Gerbido; là gli uomini montavano la guardia a turno tutta la notte per prevenire incendi.

Senz'alcuna ragione plausibile, una notte andò fin sotto le case di Pratofungo che avevano i tetti di paglia e vi lanciò contro pece e fuoco. I lebbrosi hanno quella virtú che abbruciacchiati non patiscono dolore, e, se colti dalle fiamme nel sonno, non si sarebbero certo piú svegliati. Ma galoppando via, il visconte sentí che dal paese s'alzava la cavatina d'un violino: gli abitanti di Pratofungo vegliavano, intenti ai loro giochi. Si scottarono tutti, ma non sentirono male e si divertirono secondo il loro spirito. Spensero presto l'incendio; anche le loro case, forse perché iniettate pur esse di lebbra, patirono pochi danni dalle fiamme.

La cattiveria di Medardo si rivolse anche contro il suo proprio avere: il castello. Il fuoco s'alzò dall'ala dove abitavano i servi e divampò tra urla altissime di chi era rimasto prigioniero, mentre il visconte fu visto cavalcare via per la campagna. Era un attentato ch'egli aveva teso alla vita della sua balia e vicemadre Sebastiana. Con la ostinazione autoritaria che le donne pretendono di mantenere su coloro che han visto bambini, Sebastiana non mancava mai di rimproverare al visconte ogni nuovo suo misfatto, anche quando tutti s'erano convinti che la sua natura era votata a un'irreparabile, insana crudeltà. Sebastiana fu tratta malconcia fuori dalle mura carbonizzate e dovette tenere il letto molti giorni,[24] per guarire dalle ustioni.

Una sera, la porta della stanza in cui lei giaceva s'aperse e il visconte le apparve accanto al letto.

— Che cosa sono quelle macchie sulla vostra faccia, balia? — disse Medardo, indicando le scottature.

— Un'orma dei tuoi peccati, figlio, — disse la vecchia, serena.

— La vostra pelle è screziata e stravolta; che male avete, balia?

— Un male che è nulla, figlio mio, rispetto a quello che t'aspetta in inferno, se non ti ravvedi.

[24] *dovette . . . giorni* she had to stay in bed several days

— Dovreste guarire presto: non vorrei si sapesse in giro, di questo male che avete...

— Non ho da prender marito, per curarmi del mio corpo. Mi basta la buona coscienza. Potessi tu dire altrettanto.

— Eppure il vostro sposo v'aspetta, per portarvi via con sé, non lo sapete?

— Non deridere la vecchiaia, figlio, tu che hai avuto la giovinezza offesa.

— Non scherzo. Ascoltate, balia: c'è il vostro fidanzato che suona sotto la vostra finestra...

Sebastiana tese l'orecchio e sentí fuor dal castello il suono del corno del lebbroso.

L'indomani Medardo mandò a chiamare il dottor Trelawney.

— Macchie sospette sono comparse non si sa come sul viso d'una nostra vecchia servente, — disse al dottore. — Tutti abbiamo paura che sia lebbra. Dottore, ci affidiamo ai lumi della sua sapienza.

Trelawney s'inchinò balbettando: — Mio dovere, milord... sempre ai suoi ordini, milord...

Si girò, uscí, sgattaiolò via dal castello, prese con sé un barilotto di vino «cancarone» e scomparve nei boschi. Non lo si vide piú per una settimana. Quando tornò, la balia Sebastiana era stata mandata al paese dei lebbrosi.

Aveva lasciato il castello una sera al tramonto, nerovestita e velata, con infilato al braccio un fagotto delle sue robe. Sapeva che la sua sorte era segnata: doveva prendere la via di Pratofungo. Lasciò la stanza dove l'avevano tenuta fin allora, e non c'era nessuno nei corridoi né nelle scale. Scese, attraversò la corte, uscí nella campagna: tutto era deserto, ognuno al suo passaggio si ritirava e si nascondeva. Sentí un corno da caccia modulare un richiamo sommesso su due sole note: avanti sul sentiero c'era Galateo che alzava al cielo la bocca del suo strumento. La balia s'avviò a passi lenti; il sentiero andava verso il sole al tramonto; Galateo la precedeva d'un lungo tratto, ogni tanto si fermava come contemplando i calabroni ronzanti tra le foglie, alzava il corno e levava un mesto accordo; la balia guardava gli orti e le rive che stava abbandonando,

sentiva dietro le siepi la presenza della gente che s'allontanava da
lei, e riprendeva a andare. Sola, seguendo da distante Galateo,
giunse a Pratofungo, e i cancelli del paese si chiusero dietro di lei,
mentre le arpe e i violini cominciarono a suonare.

Il dottore Trelawney m'aveva molto deluso. Non aver mosso un [5]
dito perché la vecchia Sebastiana non fosse condannata al lebbro-
sario, — pur sapendo che le sue macchie non erano di lebbra, —
era un segno di viltà e io provai per la prima volta un moto
d'avversione per il dottore. S'aggiunga che quand'era scappato nei
boschi non m'aveva preso con sé, pur sapendo quanto gli sarei [10]
stato utile come cacciatore di scoiattoli e cercatore di lamponi. Ora
andare con lui per fuochi fatui non mi piaceva piú come prima,
e spesso giravo da solo, in cerca di nuove compagnie.

Le persone che piú m'attraevano adesso erano gli ugonotti che
abitavano Col Gerbido. Era gente scappata d'in Francia dove il [15]
re faceva tagliare a pezzi tutti quelli che seguivano la loro religione.[25] Nella traversata delle montagne avevano perduto i loro
libri e i loro oggetti sacri, e ora non avevano piú né Bibbia da
leggere, né messa da dire, né inni da cantare, né preghiere da
recitare. Diffidenti come tutti quelli che sono passati attraverso [20]
persecuzioni e che vivono in mezzo a gente di diversa fede, essi
non avevano voluto piú ricevere alcun libro religioso, né ascoltare
consigli sul modo di celebrare i loro culti. Se qualcuno veniva a
cercarli dicendosi loro fratello ugonotto, essi temevano che fosse
un emissario del papa travestito, e si chiudevano nel silenzio. Cosí [25]
s'erano messi a coltivare le dure terre di Col Gerbido, e si sfianca-
vano a lavorare maschi e femmine da prima dell'alba a dopo il
tramonto, nella speranza che la grazia li illuminasse. Poco esperti
di quel che fosse peccato, per non sbagliarsi moltiplicavano le
probizioni e si erano ridotti a guardarsi l'un l'altro con occhi severi [30]

[25] *Era gente . . . religione.* [The Edict of Nantes, guaranteeing the
rights of French Protestants, had been revoked by Louis XIV in 1685.
Many Huguenots fled to escape persecution.]

spiando se qualche minimo gesto tradisse un'intenzione colpevole. Ricordando confusamente le dispute della loro chiesa, s'astenevano dal nominare Dio e ogni altra espressione religiosa, per paura di parlarne in modo sacrilego. Cosí non seguivano nessuna regola di culto, e probabilmente non osavano nemmeno formular pensieri su questioni di fede, pur conservando una gravità assorta come se sempre ci pensassero. Invece, le regole della loro faticosa agricoltura avevano col tempo acquistato un valore pari a quello dei comandamenti, e cosí le abitudini di parsimonia cui erano costretti, e le virtú casalinghe delle donne.

Erano una gran famiglia piena di nipoti e nuore, tutti lunghi e nodosi, e lavoravano la terra sempre vestiti a festa, neri e abbottonati, col cappello a larghe tese spioventi gli uomini e con la cuffia bianca le donne. Gli uomini portavano lunghe barbe, e giravano sempre con lo schioppo a tracolla, ma si diceva che nessuno di loro avesse mai sparato, fuorché ai passeri, perché lo proibivano i comandamenti.

Dai ripiani calcinosi dove a fatica cresceva qualche misera vite e dello stento frumento, s'alzava la voce del vecchio Ezechiele, che urlava senza posa coi pugni levati al cielo, tremando nella bianca barba caprina, roteando gli occhi sotto il cappello a imbuto: — Peste e carestia! [26] Peste e carestia! — sgridando i familiari chini al lavoro: — Dài [27] con quella zappa, Giona! Strappa l'erba, Susanna! Tobia, spargi il letame! — e dava mille ordini e rimproveri con l'astio di chi si rivolge a un branco d'inetti e di sciuponi, e ogni volta dopo aver gridato le mille cose che dovevano fare perché la campagna non andasse in malora,[28] si metteva a farle lui stesso, scacciando gli altri d'intorno, e sempre gridando: — Peste e carestia!

Sua moglie non gridava mai, invece, e sembrava, a differenza degli altri, sicura d'una sua religione segreta, fissata, fin nei minimi

---

[26] *Peste e carestia!*   Pestilence and famine!
[27] *Dài*   Come on
[28] *perché la campagna non andasse in malora*   so that the land wouldn't go to ruin

particolari, ma di cui non faceva parola ad alcuno. Le bastava
guardar fisso, coi suoi occhi tutti pupilla, e dire, a labbra tese: —
Ma vi pare il caso,[29] sorella Rachele? Ma vi pare il caso, fratello
Aronne? — perché i rari sorrisi scomparissero dalle bocche dei
familiari e le espressioni tornassero gravi e intente.   5

Arrivai una sera a Col Gerbido mentre gli ugonotti stavano
pregando. Non che pronunciassero parole e stessero a mani giunte
o inginocchiati; stavano ritti in fila nella vigna, gli uomini da una
parte e le donne dall'altra, e in fondo il vecchio Ezechiele con la
barba sul petto. Guardavano diritto davanti a sé, con le mani   10
strette a pugno che pendevano dalle lunghe braccia nodose, ma
benché sembrassero assorti non perdevano la cognizione di quel
che li circondava, e Tobia allungò una mano e tolse un bruco da
una vite, Rachele con la suola chiodata schiacciò una lumaca, e lo
stesso Ezechiele si tolse tutt'a un tratto il cappello per spaventare i   15
passeri scesi sul frumento.

Poi intonarono un salmo. Non ne ricordavano le parole ma
soltanto l'aria, e neanche quella bene, e spesso qualcuno stonava o
forse tutti stonavano sempre, ma non smettevano mai, e finita una
strofa ne attaccavano un'altra, sempre senza pronunciare le parole.   20

Mi sentii tirare per un braccio e c'era il piccolo Esaú che mi
faceva segno di star zitto[30] e di venir con lui. Esaú aveva la mia
età;[31] era l'ultimo figlio del vecchio Ezechiele; dei suoi aveva solo
l'espressione del viso dura e tesa, ma con un fondo di malizia
furfantesca. Carponi per la vigna ci allontanammo, mentre lui mi   25
diceva: — Ce n'hanno per mezz'ora; che barba![32] Vieni a vedere
la mia tana.

La tana di Esaú era segreta. Lui ci si nascondeva perché i suoi
non lo trovassero e non lo mandassero a pascolare le capre o a

[29] *vi pare il caso*   do you think it appropriate
[30] *star zitto*   be silent
[31] *Esaú aveva la mia età*   Esau was the same age as I
[32] *Ce n'hanno . . . barba!*   They'll be at it for a half-hour; what a
bore!

togliere le lumache dagli ortaggi. Vi passava intere giornate in ozio, mentre suo padre lo cercava urlando per la campagna.

Esaú mi diede un sigaro, e volle che lo fumassi. Ne accese uno lui pure e gettava grandi boccate con un'avidità che non avevo mai
5 visto in un ragazzo. Io era la prima volta che fumavo; mi venne subito male e smisi. Per rinfrancarmi Esaú tirò fuori una bottiglia di grappa e mi versò un bicchiere che mi fece tossire e torcer le budella. Lui lo beveva come fosse acqua.

— Per ubriacarmi ce ne vuole,[33] — disse.
10   — Dove hai preso tutte queste cose che tieni nella tana? — gli chiesi.

Esaú fece un gesto rampante con le dita: — Rubate.

S'era messo a capo d'una banda di ragazzi cattolici che saccheggiavano le campagne attorno; e non solo spogliavano gli alberi da
15 frutta, ma entravano anche nelle case e nei pollai. E bestemmiavano piú forte e piú sovente perfino di Mastro Pietrochiodo: sapevano tutte le bestemmie cattoliche e ugonotte, e se le scambiavano tra loro.

— Ma faccio anche tanti altri peccati, — mi spiegò, — dico
20 falsa testimonianza, mi dimentico di dar acqua ai fagioli, non rispetto il padre e la madre, torno a casa la sera tardi. Adesso voglio fare tutti i peccati che ci sono; anche quelli che dicono che non sono abbastanza grande per capire.

— Tutti i peccati? — io gli dissi. — Anche ammazzare?
25   Si strinse nelle spalle: — Ammazzare adesso non mi conviene e non mi serve.

— Mio zio ammazza e fa ammazzare per gusto, dicono, — feci io, per aver qualcosa da parte mia da contrapporre a Esaú.

Esaú sputò.
30   — Un gusto da scemi, — disse.

Poi tuonò e fuori della tana prese a piovere.

— A casa ti cercheranno, — dissi a Esaú. A me nessuno mi cercava mai, ma vedevo che gli altri ragazzi erano sempre cercati

[33] *Per . . . vuole*   It takes a lot (of it) to get me drunk

dai genitori, specie quando veniva brutto tempo, e credevo fosse
una cosa importante.

— Aspettiamo qui che spiova, — disse Esaú, — intanto
giocheremo ai dadi.

Tirò fuori i dadi e una pila di denari. Denaro io non ne avevo,   **5**
cosí mi giocai zufoli, coltelli e fionde e persi tutto.

— Non scoraggiarti, — mi disse alla fine Esaú, — sai: io baro.

Fuori: tuoni e lampi e pioggia dirotta. La grotta d'Esaú s'andò
allagando. Lui mise in salvo [34] i sigari e le altre sue cose e disse: —
Diluvierà tutta notte: è meglio correre a ripararci a casa.   **10**

Eravamo zuppi e infangati quando arrivammo al casolare del
vecchio Ezechiele. Gli ugonotti erano seduti intorno al travolo, alla
luce d'un lumino, e cercavano di ricordarsi qualche episodio della
Bibbia, badando bene [35] a raccontarli come cose che pareva loro
d'aver letto una volta, di significato e verità insicuri.   **15**

— Peste e carestia! — gridò Ezechiele menando un pugno sul
tavolo, che spense il lumino, quando suo figlio Esaú comparve
con me nel vano della porta.

Io presi a battere i denti. Esaú fece spallucce. Fuori sembrava che
tutti i tuoni e i fulmini si scaricassero su Col Gerbido. Mentre   **20**
riaccendevano il lumino, il vecchio coi pugni alzati enumerava i
peccati di suo figlio come i piú nefandi che mai essere umano
avesse commesso,[36] ma non ne conosceva che una piccola parte. La
madre assentiva muta, e tutti gli altri figli e generi e nuore e
nipoti ascoltavano col mento sul petto e il viso nascosto tra le mani. **25**
Esaú morsicava una mela come se quella predica non lo riguardasse.
Io, tra quei tuoni e la voce d'Ezechiele, tremavo come un giunco.

La sgridata fu interrotta dal ritorno degli uomini di guardia, con
sacchi per cappuccio, tutti zuppi di pioggia. Gli ugonotti facevano
la guardia a turno per tutta la nottata, armati di schioppi, roncole   **30**

---

[34] *Lui mise in salvo*   He put in a safe place
[35] *badando bene*   being very careful to
[36] *enumerava . . . commesso*   enumerated his son's sins as the most
abominable that a human being had ever committed

e forche fienaie, per prevenire le incursioni proditorie del visconte, ormai loro nemico dichiarato.

— Padre! Ezechiele! — dissero quegli ugonotti. — È una notte da lupi.[37] Certo lo Zoppo non verrà. Possiamo ritirarci in casa, padre?

— Non ci sono segni del Monco, intorno? — chiese Ezechiele.

— No, padre se si eccettua il puzzo di bruciato che lasciano i fulmini. Non è notte per l'Orbo, questa.

— Restate in casa e cambiatevi i panni, allora. Che la tempesta porti pace allo Sfiancato e a noi.

Lo Zoppo, il Monco, l'Orbo, lo Sfiancato erano alcuni degli appellativi con cui gli ugonotti indicavano mio zio; né li sentii mai chiamarlo col suo nome vero. Essi ostentavano in questi discorsi una specie di confidenza col visconte, come se la sapessero lunga su di lui,[38] quasi lui fosse un antico loro nemico. Si lanciavano tra loro brevi frasi accompagnate da ammicchi e risatine: — Eh, eh, il Monco... Proprio cosí, il Mezzo Sordo...— come se tutte le tenebrose follie di Medardo fossero per loro chiare e prevedibili.

Stavano cosí parlando, quando nella bufera s'udí un pugno battuto alla porta. — Chi bussa con questo tempo? — disse Ezechiele. — Presto, gli sia aperto.

Aprirono e sulla soglia c'era il visconte ritto sull'unica gamba, avvolto nel nero mantello stillante, col cappello piumato fradicio di pioggia.

— Ho legato il mio cavallo nella vostra stalla, — disse. — Date ospitalità anche a me, vi prego. La notte è brutta per il viandante.

Tutti guardarono Ezechiele. Io m'ero nascosto sotto il tavolo, perché mio zio non scoprisse che frequentavo quella casa nemica.

— Sedetevi al fuoco, — disse Ezechiele. — L'ospite in questa casa è sempre il benvenuto.

Vicino alla soglia c'era un mucchio di lenzuoli di quelli da

---

[37] *È una notte da lupi.*   It's a bitter(ly) (stormy) night.
[38] *come . . . lui*   as though they knew a thing or two about him

stender sotto gli alberi per raccogliere le olive; Medardo ci si sdraiò e s'addormentò.

Nel buio, gli ugonotti si raccolsero attorno ad Ezechiele. — Padre, l'abbiamo in nostra mano, ora, lo Zoppo! — bisbigliarono. — Dobbiamo lasciarcelo scappare? Dobbiamo permettere che commetta altri delitti contro gli innocenti? Ezechiele, non è giunta l'ora che paghi il fio,[39] lo Snaticato? [40]

Il vecchio alzò i pugni contro il soffitto: — Peste e carestia! — gridò, se si può dir che gridi chi parla senza emetter quasi suono ma con tutta la sua forza. — In casa nostra nessun ospite ha mai ricevuto torto. Andrò a montar la guardia [41] io stesso per proteggere il suo sonno.

E con lo schioppo a tracolla si piantò accanto al visconte coricato. L'occhio di Medardo s'aperse. — Che fate lí, Mastro Ezechiele?

— Proteggo il vostro sonno, ospite. Molti vi odiano.

— Lo so, — disse il visconte, — non dormo al castello perché temo che i servi m'uccidano nel sonno.

— Neppure in casa mia v'amiamo, Mastro Medardo. Però stanotte sarete rispettato.

Il visconte stette un poco il silenzio, poi disse: — Ezechiele, voglio convertirmi alla vostra religione.

Il vecchio non disse nulla.

— Sono circondato da gente infida, — continuò Medardo. — Vorrei disfarmi di tutti loro, e chiamare gli ugonotti al castello. Voi, Mastro Ezechiele, sarete il mio ministro. Dichiarerò Terralba territorio ugonotto e inizierò la guerra contro i príncipi cattolici. Voi e i vostri familiari sarete i capi. Siete d'accordo, Ezechiele? Potete convertirmi?

Il vecchio stava ritto immobile col gran petto traversato dalla banda del fucile. — Troppe cose ho dimenticato della nostra religione, — disse, — perché possa osare di convertir qualcuno.

---

[39] *non . . . fio* hasn't the time come for him to pay the penalty
[40] *lo Snaticato* the "bottomless" one
[41] *montar la guardia* stand guard

Io resterò nelle mie terre secondo la mia coscienza. Voi nelle vostre con la vostra.

Il visconte s'alzò sul gomito: — Sapete, Ezechiele, che non ho ancora reso conto all'Inquisizione della presenza d'eretici nel mio territorio? E che le vostre teste mandate in regalo al nostro vescovo mi farebbero tornare subito nelle grazie della curia?

— Le nostre teste sono ancora attaccate ai nostri colli, signore, — disse il vecchio, — ma c'è qualcosa che è ancor piú difficile strapparci.

Medardo balzò in piedi e aperse l'uscio. — Dormirò piú volentieri sotto quella rovere laggiú, che in casa di nemici —. E saltò via sotto la pioggia.

Il vecchio chiamò gli altri: — Figli, era scritto che per primo venisse lo Zoppo a visitarci. Ora se n'è andato; il sentiero della nostra casa è sgombro; non disperate, figli: forse un giorno passerà un miglior viandante.

Tutti i barbuti ugonotti e le donne incuffiettate chinarono il capo.

— E se anche non verrà nessuno, — aggiunse la moglie d'Ezechiele, — noi resteremo al nostro posto.

In quel momento una folgore squarciò il cielo, e il tuono fece tremare le tegole e le pietre delle mura. Tobia gridò: — Il fulmine è caduto sulla rovere! Ora brucia!

Corsero fuori con le lanterne, a videro il grande albero carbonizzato per metà, dalla vetta alle radici, e l'altra metà era intatta. Lontano sotto la pioggia sentirono gli zoccoli d'un cavallo e a un lampo videro la figura ammantellata del sottile cavaliere.

— Tu ci hai salvati, padre, — dissero gli ugonotti. — Grazie, Ezechiele.

Il cielo si schiariva a levante e c'era l'alba.

Esaú mi chiamò in disparte: [42] Di' se sono scemi, — mi disse piano, — guarda io intanto cos'ho fatto, — e mostrò una manciata d'oggetti luccicanti, — tutte le borchie d'oro della sella, gli ho

[42] *in disparte*   aside

preso, mentre il cavallo era legato nella stalla. Di' se sono stati scemi, loro, a non pensarci.

Questo modo di fare di Esaú non mi garbava,[43] e quello dei suoi parenti mi metteva soggezione.[44] E allora preferivo starmene per conto mio e andare alla marina a raccogliere patelle e a cacciar granchi. Mentre su una punta di scoglio cercavo di stanare un granchiolino, vidi nell'acqua calma sotto di me specchiarsi una lama sopra il mio capo, e dallo spavento caddi in mare.

— Tienti qua, — disse mio zio, perché era lui che s'era avvicinato alle mie spalle. E voleva m'afferrassi alla sua spada,[45] dalla parte della lama.

— No, faccio da me, — risposi, e m'arrampicai su uno sperone che un braccio d'acqua separava dal resto della scogliera.

— Vai per granchi? — disse Medardo, — io per polpi, — e mi fece vedere la sua preda. Erano grossi polpi bruni e bianchi. Erano tagliati in due con un colpo di spada, ma continuavano a muovere i tentacoli.

— Cosí si potesse dimezzare ogni cosa intera, — disse mio zio coricato bocconi sullo scoglio,[46] carezzando quelle convulse metà di polpo, — cosí ognuno potesse uscire dalla sua ottusa e ignorante interezza. Ero intero e tutte le cose erano per me naturali e confuse, stupide come l'aria; credevo di veder tutto e non era che la scorza. Se mai tu diventerai metà di te stesso, e te l'auguro, ragazzo, capirai cose al di là [47] della comune intelligenza dei cervelli interi. Avrai perso metà di te e del mondo, ma la metà rimasta sarà mille volte piú profonda e preziosa. E tu pure vorrai che tutto sia dimezzato e straziato a tua immagine, perché bellezza e sapienza e giustizia ci sono solo in ciò che è fatto a brani.

[43] *Questo . . . garbava* This way of Esau's of doing things didn't please me
[44] *mi metteva soggezione* made me uneasy
[45] *E voleva . . . spada* And he wanted me to grasp his sword
[46] *coricato . . . scoglio* lying face downward on the rock
[47] *al di là* beyond

— Uh, uh, — dicevo io, — che moltitudine di granchi, qui! —
e fingevo interesse solo alla mia caccia, per tenermi lontano dalla
spada di mio zio. Non tornai a riva finché non si fu allontanato
coi suoi polpi. Ma l'eco delle sue parole continuava a turbarmi e
non trovavo riparo a questa sua furia dimezzatrice. Da qualsiasi
parte mi voltassi,[48] Trelawney, Pietrochiodo, gli ugonotti, i lebbrosi, tutti eravamo sotto il segno dell'uomo dimezzato, era lui il
padrone che servivamo e da cui non riuscivamo a liberarci.

[48] *Da qualsiasi parte mi voltassi* Whichever way I turned

vi

Affibbiato alla sella del suo cavallo
saltatore, Medardo di Terralba saliva e scendeva di buon'ora per le
balze, e si sporgeva a valle scrutando con occhio di rapace. Così
vide la pastorella Pamela in mezzo a un prato assieme alle sue
capre.

Il visconte si disse: «Ecco che io tra i miei acuti sentimenti non
ho nulla che corrisponda a quello che gli interi chiamano amore.
E se per loro un sentimento così melenso ha pur tanta importanza,
quello che per me potrà corrispondere a esso, sarà certo magnifico e
terribile». E decise d'innamorarsi di Pamela, che grassottella e
scalza, con indosso una semplice vesticciuola rosa, se ne stava

bocconi sull'erba, dormicchiando, parlando con le capre e annusando i fiori.

Ma i pensieri che egli aveva freddamente formulato non devono trarci in inganno.[1] Alla vista di Pamela, Medardo aveva sentito un indistinto movimento del sangue, qualcosa che da tempo piú non provava, ed era corso a quei ragionamenti con una specie di fretta impaurita.

Sulla via del ritorno, a mezzogiorno, Pamela vide che tutte le margherite dei prati avevano solo la metà dei petali e l'altra metà della raggera era stata sfogliata.

«Ahimè, — si disse, — di tutte le ragazze della valle, doveva capitare proprio a me!» Aveva capito che il visconte s'era innamorato di lei. Colse tutte le mezze margherite, le portò a casa e le mise tra le pagine del libro da messa.

Il pomeriggio andò al Prato delle Monache a pascolare le anatre e a farle nuotare nello stagno. Il prato era cosparso di bianche pastinache, ma anche a questi fiori era toccata la sorte delle margherite,[2] come se parte d'ogni corimbo fosse stata tagliata via con una forbiciata. «Ahimè di me, — si disse, — sono proprio io quella che lui vuole!» e raccolse in un mazzo le pastinache dimezzate, per infilarle nella cornice dello specchio del comò.

Poi non ci pensò piú, si legò la treccia intorno al capo, si tolse la vestina e fece il bagno nel laghetto assieme alle sue anatre.

Alla sera, venendo a casa per i prati c'era pieno di tarassachi detti anche [3] «soffioni». E Pamela vide che avevano perduto i piumini da una parte sola, come se qualcuno si fosse steso a terra a soffiarci sopra da una parte, o con mezza bocca soltanto. Pamela colse qualcuna di quelle mezze spere bianche, ci soffiò su e il loro morbido spiumío volò lontano. «Ahimemè di me, — si disse, — mi vuole proprio. Come andrà a finire?»

Il casolare di Pamela era cosí piccolo che una volta fatte entrare

---

[1] *non devono trarci in inganno*   mustn't deceive us

[2] *era toccata la sorte delle margherite*   had befallen the fate of the daisies

[3] *detti anche*   also called

le capre al primo piano e le anatre al pianterreno non ci si stava
piú. Tutt'intorno era circondato d'api, perché tenevano pure gli
alveari. E sotterra c'era pieno di formicai, che bastava posare
una mano in qualsiasi posto per tirarla su nera e formicolante.
Stando cosí le cose la mamma di Pamela dormiva nel pagliaio, il
babbo dormiva in una botte vuota, e Pamela in un'amaca sospesa
tra un fico e un olivo.

Sulla soglia Pamela s'arrestò. C'era una farfalla morta. Un'ala
e metà del corpo erano stati schiacciati da una pietra. Pamela
mandò uno strillo e chiamò il babbo e la mamma.

— Chi c'è stato qui? — disse Pamela.

— È passato il nostro visconte poco fa, — dissero babbo e
mamma, — ha detto che stava rincorrendo una farfalla che l'aveva
punto.

— Quando mai le farfalle hanno punto qualcuno? — disse
Pamela.

— Mah, anche noi ce lo chiediamo.

— La verità è, — disse Pamela, — che il visconte s'è innamorato
di me e dobbiamo esser preparati al peggio.

— Uh, uh non ti montar la testa,[4] non esagerare, — risposero
i vecchi, come sempre i vecchi usano rispondere, quando non sono
i giovani a risponder loro cosí.

L'indomani quando giunse alla pietra dove usava sedere pasco-
lando le capre, Pamela lanciò un urlo. Orrendi resti bruttavano la
pietra: erano metà d'un pipistrello e metà d'una medusa, l'una
stillante nero sangue e l'altra viscida materia, l'una con l'ala
spiegata e l'altra con le molli frange gelatinose. La pastorella capí
ch'era un messaggio. Voleva dire: appuntamento stasera in riva
al mare. Pamela si fece coraggio e andò.

Sulla riva del mare si sedette sui ciottoli e ascoltava il fruscío
dell'onda bianca. E poi uno scalpitío sui ciottoli e Medardo
galoppava per la riva. Si fermò, si sfibbiò, scese di sella.

Io, Pamela, ho deciso d'essere innamorato di te, — egli le disse.

[4] *non . . . testa*   don't get excited

— Ed è per questo, — saltò su lei, — che straziate tutte le creature della natura?

— Pamela, — sospirò il visconte, — nessun altro linguaggio abbiamo per parlarci se non questo. Ogni incontro di due esseri al mondo è uno sbranarsi. Vieni con me, io ho la conoscenza di questo male e sarai piú sicura che con chiunque altro; perché io faccio del male come tutti lo fanno; ma, a differenza degli altri, io ho la mano sicura.

— E strazierete anche me come le margherite o le meduse?

— Io non lo so quel che farò con te. Certo l'averti mi renderà possibile cose che neppure immagino. Ti porterò nel castello e ti terrò lí e nessun altro ti vedrà e avremo giorni e mesi per capire quel che dovremo fare e inventar sempre nuovi modi per stare insieme.

Pamela era sdraiata sulla ghiaia e Medardo le s'era inginocchiato vicino. Parlando gesticolava sfiorandola tutt'intorno con la mano, ma senza toccarla.

— Ebbene: io devo sapere prima cosa mi farete. E potete ben darmene un assaggio ora e io deciderò se venire o no al castello.

Il visconte lentamente avvicinò alla guancia di Pamela la sua mano sottile e adunca. La mano tremava e non si capiva se fosse tesa verso una carezza o verso un graffio. Ma non era ancora arrivato a toccarla, quando ritrasse la mano d'un tratto e si rizzò.[5]

— È al castello che ti voglio, — disse issandosi a cavallo, — vado a preparare la torre dove abiterai. Ti lascio ancora un giorno per pensarci e poi dovrai esserti decisa.

E in cosí dire spronò via per quelle spiagge.

L'indomani Pamela salí come al solito sul gelso per cogliere le more e sentí gemere e starnazzare tra le fronde. Per poco non cascò dallo spavento.[6] A un ramo alto era legato un gallo per le ali, e grossi bruchi azzurri e pelosi lo stavan divorando: un nido

---

[5] *quando ritrasse . . . rizzò*   when he withdrew his hand suddenly and stood up straight
[6] *Per poco . . . spavento.*   She nearly fell from fright.

di processionarie, cattivi insetti che vivono sui pini, gli era stato posato proprio sulla cresta.

Era certo un altro degli orribili messaggi del visconte. E Pamela l'interpretò: «Domani all'alba ci vedremo al bosco».

Con la scusa di riempire un sacco di pigne Pamela salí al bosco, e Medardo sbucò da dietro un tronco appoggiato alla sua gruccia.

— Allora, — chiese a Pamela, — ti sei decisa a venire al castello?

Pamela era sdraiata sugli aghi di pino. — Decisa a non andarci, — disse voltandosi appena. — Se mi volete, venitemi a trovare qui nel bosco.

— Verrai al castello. La torre dove dovrai abitare è preparata e ne sarai l'unica padrona.

— Voi volete tenermi lí prigioniera e poi magari farmi bruciare dall'incendio o rodere dai topi. No, no. V'ho detto: sarò vostra se lo volete ma qui sugli aghi di pino.

Il visconte s'era accosciato accanto alla testa di lei. Aveva un ago di pino in mano; l'avvicinò al suo collo e glielo passò intorno. Pamela si sentí venir la pelle d'oca ma stette ferma.[7] Vedeva il viso del visconte chino su di lei, quel profilo che restava profilo anche visto di fronte, e quelle mezze chiostra di denti scoperte in un sorriso a forbice. Medardo strinse l'ago di pino nel pugno e lo spezzò. Si rialzò. — È chiusa nel castello che voglio averti, è chiusa nel castello!

Pamela capí che poteva azzardarsi,[8] e muoveva nell'aria i piedi scalzi dicendo: — Qui nel bosco, non dico di no; al chiuso, neanche morta.

— Saprò ben portartici io! — disse Medardo posando la mano sulla spalla del cavallo che s'era avvicinato come passasse lí per caso. Salí sulla staffa e spronò via per i sentieri della foresta.

Quella notte Pamela dormí nella sua amaca appesa tra l'olivo e il fico, e al mattino, orrore! si trovò una piccola carogna sanguinante

----

[7] *Pamela . . . ferma.* Pamela felt the gooseflesh rising, but she remained still.

[8] *capí che . . . azzardarsi* understood that she could risk it

in grembo. Era un mezzo scoiattolo, tagliato come il solito per il lungo, ma con la fulva coda intatta.

— Ahimè povera me, — disse ai genitori, — questo visconte non mi lascia vivere.

Il babbo e la mamma si passarono di mano in mano la carogna della scoiattolo.

— Però, — disse il babbo, — la coda l'ha lasciata intera. Forse è un buon segno...

— Forse sta cominciando a diventar buono...— disse la mamma.

— Taglia sempre tutto in due, — disse il babbo, — ma quel che lo scoiattolo ha di piú bello, la coda, lo rispetta...

— Questo messaggio forse vuol dire, — fece la mamma, — che quanto tu hai di buono e di bello lui lo rispetterà...

Pamela si mise le mani nei capelli. — Cosa devo sentire da voi, padre e madre! Qui c'e qualcosa sotto: il visconte v'ha parlato...

— Parlato no, — disse il babbo, — ma ci ha fatto dire che vuol venirci a trovare e che s'interesserà delle nostre miserie.

— Padre, se viene a parlarti scoperchia gli alveari e mandagli incontro le api.

— Figlia, forse Mastro Medardo sta diventando migliore...— disse la vecchia.

— Madre, se viene a parlarvi, legatelo sul formicaio e lasciatelo lí.

Quella notte il pagliaio dove dormiva la mamma prese fuoco e la botte dove dormiva il babbo si sfasciò. Al mattino i due vecchietti contemplavano i resti del disastro quando apparve il visconte.

— Mi dispiace avervi spaventato, stanotte, — disse, — ma non sapevo come entrare in argomento. Il fatto è che mi piace vostra figlia Pamela e vorrei portarmela al castello. Perciò vi chiedo formalmente di darla in mano mia. La sua vita cambierà, e anche la vostra.

— Si figuri noi se non saremmo contenti,[9] signoria! — disse il

---

[9] *Si figuri . . . contenti* Of course we would be only too happy

vecchietto. — Ma lei sapesse mia figlia il carattere che ha! Pensi che
ha detto di aizzarle contro le api degli alveari...

— Pensi un po', signoria...— disse la madre, — si figuri [10] che
ha detto di legarla sul formicaio...

Fortuna che Pamela rincasò presto quel giorno. Trovò suo padre
e sua madre legati e imbavagliati uno sull'alveare, l'altra sul
formicaio. E fortuna che le api conoscevano il vecchio e le
formiche avevano altro da fare che mordere la vecchia. Cosí poté
salvarli tutti e due.

— Avete visto com'è diventato buono, il visconte? — disse
Pamela.

Ma i due vecchietti covavano qualcosa. E l'indomani legarono
Pamela e la chiusero in casa con le bestie; e andarono al castello a
dire al visconte che se voleva la loro figlia la mandasse pur a
prendere, ché loro erano disposti a consegnargliela.

Ma Pamela sapeva parlare alle sue bestie. A beccate le anatre
la liberarono dai lacci, e a cornate le capre sfondarono la porta.
Pamela corse via, prese con sé la capra e l'anatra preferite, e andò
a vivere nel bosco. Stava in una grotta nota solo a lei e a un
bambino che le portava i cibi e le notizie.

Quel bambino ero io. Con Pamela nel bosco era un bel vivere.
Le portavo frutta, formaggio e pesci fritti e lei in cambio mi dava
qualche tazza di latte della capra e qualche uovo d'anatra. Quando
lei si bagnava negli stagni e nei ruscelli io facevo la guardia perché
nessuno la vedesse.

Per il bosco passava alle volte mio zio, ma si teneva al largo,[11]
pur manifestando la sua presenza nei tristi modi consueti a lui. Alle
volte una frana di sassi sfiorava Pamela e le sue bestie; alle volte un
tronco di pino a cui lei s'appoggiava cedeva, minato alla base da
colpi d'accetta; alle volte una sorgente si scopriva inquinata da resti
d'animali uccisi.

Mio zio aveva preso a andare a caccia, con una balestra ch'egli

---

[10] *si figuri*   just imagine
[11] *ma si teneva al largo*   but he kept himself at a distance

riusciva a manovrare con l'unico braccio. Ma s'era fatto ancor piú cupo e sottile, come se nuove pene rodessero quel rimasuglio del suo corpo.

Un giorno il dottor Trelawney andava per i campi con me quando il visconte ci venne incontro a cavallo e quasi lo investí, facendolo cadere. Il cavallo s'era fermato con lo zoccolo sul petto dell'inglese, e mio zio disse: — Mi spieghi lei, dottore: ho un senso come se la gamba che non ho fosse stanca per un gran camminare. Cosa può esser questo?

Trelawney si confuse e balbettò com'era solito, e il visconte spronò via. Ma la domanda doveva aver colpito il dottore, che si mise a rifletterci, reggendosi il capo con le mani. Mai avevo visto in lui tanto interesse per una questione di medicina umana.

VII

Attorno a Pratofungo crescevano cespugli di menta piperita e siepi di rosmarino, e non si capiva se fosse natura selvatica o aiole d'un orto degli aromi. Io m'aggiravo col petto carico d'un respiro dolciastro e cercavo la via per raggiungere la vecchia balia Sebastiana.

Da quando Sebastiana era sparita per il sentiero che portava al villaggio dei lebbrosi, io mi ricordavo più spesso d'esser orfano. Mi disperavo di non saper più nulla di lei; ne chiedevo a Galateo, gridando arrampicato in cima a un albero quando lui passava; ma Galateo era nemico dei bambini che alle volte gli gettavano addosso lucertole vive dalla cima degli alberi, e dava risposte canzonatorie e incomprensibili, con la sua voce melata e squillante. E ora in me alla curiosità d'entrare in Pratofungo s'aggiungeva quella di ritrovare la gran balia, e giravo senza requie tra i cespugli odorosi.

Ed ecco che da una macchia di timo s'alzò una figura vestita di chiaro, con un cappello di paglia, e camminò verso il paese. Era un vecchio lebbroso, e io volevo chiedergli della balia, e avvicinandomi quel tanto che bastava per farmi udire, ma senza gridare, dissi: — Ehi, là, signor lebbroso!

Ma in quel momento, forse svegliata dalle mie parole, proprio vicino a me un'altra figura si levò a sedere e si stirò. Aveva il viso tutto scaglioso come una scorza secca, e una lanosa rada barba bianca. Prese in tasca uno zufolo e lanciò un trillo verso di me, come mi canzonasse. M'accorsi allora che il pomeriggio di sole era pieno di lebbrosi sdraiati, nascosti nei cespugli, e adesso si levavano pian piano nei loro chiari sai,[1] e camminavano controluce verso Pratofungo, reggendo in mano strumenti musicali o da giardiniere, e con essi facevano rumore. Io m'ero ritratto per allontanarmi da quell'uomo barbuto, ma quasi finii addosso a una lebbrosa senza naso che si stava pettinando tra le fronde d'un lauro, e per quanto saltassi per la macchia capitavo sempre contro altri lebbrosi e m'accorgevo che i passi che potevo muovere erano solo in direzione di Pratofungo, i cui tetti di paglia adorni di festoni d'aquilone erano ormai vicini, al piede di quella china.

I lebbrosi rivolgevano a me l'attenzione solo di quando in quando,[2] con strizzate d'occhio e accordi d'organetto, però mi sembrava che al centro di quella loro marcia ci fossi proprio io e mi stessero accompagnando a Pratofungo come un animale catturato. Nel villaggio le mura delle case erano dipinte di lilla e a una finestra una donna mezzo discinta, con macchie lilla sul viso e sul petto, suonatrice di lira, gridò: — Son tornati i giardinieri! — e suonò la lira. Altre donne s'affacciarono alle finestre e alle altane agitando sonagliere e cantando: — Bentornati giardinier!

Io badavo a tenermi nel mezzo di quella viuzza e a non toccar

---

[1] *nei loro chiari sai*   in their light-colored robes
[2] *di quando in quando*   now and then

nessuno; ma mi trovai come in un crocicchio, con lebbrosi tutt'-
attorno, seduti uomini e donne sulle soglie delle loro case, coi sai
laceri e sbiaditi dai quali trasparivano bubboni e vergogne, e tra
i capelli fiori di biancospino e anemone.

I lebbrosi tenevano un concertino che avrei detto in mio onore. 5
Alcuni inclinavano i violini verso di me con esagerati indugi del-
l'archetto, altri appena li guardavo facevano il verso della rana,[3]
altri mi mostravano strani burattini che salivano e scendevano
su un filo. Di tanti e cosí discordi gesti e suoni era appunto fatto
il concertino, ma c'era una specie di ritornello che essi ripetevano 10
ogni tanto: — Il pulcino senza macchia, va per more e si macchiò.

— Io cerco la mia balia, — dissi forte, — la vecchia Sebastiana:
sapete dov'è?

Scoppiarono a ridere, con quella loro aria saputa e maligna.

— Sebastiana! — gridai. — Sebastiana! Dove sei? 15

— Ecco, bambino, — disse un lebbroso, — buono, bambino, —
e indicò una porta.

La porta s'aperse e ne uscí una donna olivastra, forse saracena,
seminuda e tatuata, con addosso code d'aquilone, che cominciò
una danza licenziosa. Non capii bene cosa successe poi: uomini e 20
donne si buttarono gli uni addosso agli altri e iniziarono quella
che poi appresi doveva essere un'orgia.

Mi feci piccino piccino quando tutt'a un tratto la gran vecchia
Sebastiana si fece largo in quella cerchia.

— Brutti sporcaccioni! — disse. — Almeno un po' di riguardo 25
per un'anima innocente.

Mi prese per mano e mi tirò via mentre loro cantavano: — Il
pulcino senza macchia, va per more e si macchiò!

Sebastiana era vestita in panni viola chiaro di foggia quasi
monacale e già qualche macchia deturpava le sue guance senza 30
rughe. Io ero felice di aver ritrovato la balia, ma disperato perché
mi aveva preso per mano e attaccato certamente la lebbra. E glielo
dissi.

[3] *facevano . . . rana* imitated the sound of the frog

— Non aver paura, — rispose Sebastiana, — mio padre era un
pirata e mio nonno un eremita. Io so le virtù di tutte le erbe,
contro le malattie sia nostrane che moresche. Loro si stuzzicano
con l'origano e la malva; io invece zitta zitta con la borragine e il
crescione mi faccio certi decotti che la lebbra non la piglierò mai
finché campo.[4]

— Ma quelle macchie che hai in faccia, balia? — chiesi io, molto
sollevato ma non ancora del tutto persuaso.

— Pece greca.[5] Per far loro credere che ho la lebbra anch'io.
Vieni qui da me che ti faccio bere una delle mie tisane calda calda,
perché a girare in questi posti la prudenza non è mai troppa.

M'aveva portato a casa sua, una capannuccia un po' discosta,
pulita, con la roba stesa: e discorremmo.

— E Medardo? E Medardo? — m'interrogava lei, e ogni volta
che parlavo mi toglieva la parola di bocca. — Ah che briccone!
Ah che malandrino! Innamorato! Ah povera ragazza! E qui, e qui,
voi non v'immaginate! Sapessi la roba che sprecano! Tutta roba
che ci togliamo noi di bocca [6] per darla a Galateo, e qui sai cosa
ne fanno? Già quel Galateo è un poco di buono,[7] sai? Un cattivo
soggetto,[8] e non il solo! Le cose che fanno la notte! E al giorno,
poi! E queste donne, delle svergognate cosí non ne ho mai viste!
Almeno sapessero aggiustare la roba, ma neanche quello! Dis-
ordinate e straccione! Oh, io gliel'ho detto in faccia... E loro, sai
cosa m'han risposto, loro?

Molto contento di questa visita alla balia l'indomani andai a
pescare anguille.

Misi la lenza in un laghetto del torrente e aspettando m'ad-

---

[4] *io invece . . . campo* I, on the other hand, very quietly make myself
certain decoctions with borage and watercress so that I won't catch leprosy
as long as I live.

[5] *Pece greca.* Rosin.

[6] *che ci . . . bocca* we deprive ourselves of

[7] *un poco di buono* a rascal

[8] *Un cattivo soggetto* a bad lot

dormentai. Non so quanto durò il mio sonno; un rumore mi
svegliò. Apersi gli occhi e vidi una mano alzata sulla mia testa,
e su quella mano un peloso ragno rosso. Mi girai ed era mio zio
nel suo nero mantello.

Balzai pieno di spavento, ma in quel momento il ragno morse 5
la mano di mio zio e rapidissimo scomparve. Mio zio portò la
mano alle labbra, succhiò lievemente la ferita, e disse: — Dormivi
e ho visto un ragno velenoso filare giú sul tuo collo da quel ramo.
Ho messo avanti la mia mano ed ecco che m'ha punto.

Io non credetti neanche una parola: già tre volte a dir poco [9] 10
aveva attentato alla mia vita con simili sistemi. Ma certo ora
quel ragno gli aveva morso la mano e la mano gli gonfiava.

— Tu sei mio nipote, — disse Medardo.

— Sí, — risposi un po' sorpreso perché era la prima volta che
mostrava di riconoscermi. 15

— T'ho riconosciuto subito, — lui disse. E aggiunse: — Ah,
ragno! Ho un'unica mano e tu vuoi avvelenarmela! Ma certo,
meglio che sia toccato alla mia mano che al collo di questo fanciullo.

Ch'io sapessi, [10] mio zio non aveva mai parlato cosí. Il dubbio
che dicesse la verità e che fosse tutt'a un tratto diventato buono 20
m'attraversò la mente, ma subito lo scacciai: finzioni e tranelli erano
abituali in lui. Certo, appariva molto cambiato, con un'espressione
non piú tesa e crudele ma languida e accorata, forse per la paura e il
dolore del morso. Ma era anche il vestiario impolverato e di
foggia un po' diversa dal suo solito, a dar quell'impressione: il 25
suo mantello nero era un po' sbrindellato, con foglie secche e ricci
di castagne appiccicati ai lembi; anche l'abito non era del solito
velluto nero, ma d'un fustagno spelacchiato e stinto, e la gamba
non era piú inguainata dall'alto stivale di cuoio, ma da una calza
di lana a strisce azzurre e bianche. 30

Per mostrare che non m'interessavo di lui, andai, a guardare se
mai un'anguilla avesse abboccato alla mia lenza. Di anguille non

---

[9] *a dir poco* at least
[10] *Ch'io sapessi* To my knowledge

ce n'era, ma vidi che infilato all'amo brillava un anello d'oro con diamante. Lo tirai su e sulla pietra c'era lo stemma dei Terralba.

Il visconte mi seguiva con lo sguardo e disse: — Non stupirti. Passando di qui ho visto un'anguilla dibattersi presa all'amo e m'ha fatto tanta pena che l'ho liberata; poi pensando al danno che avevo col mio gesto arrecato al pescatore, ho voluto ripagarlo col mio anello, ultima cosa di valore che mi resta.

Io ero rimasto a bocca aperta. E Medardo continuò:

— Ancora non sapevo che il pescatore eri tu. Poi t'ho trovato addormentato tra l'erba e il piacere di vederti s'è subito mutato in apprensione per quel ragno che ti scendeva addosso. Il resto, già lo sai, — e così dicendo si guardò tristemente la mano gonfia e viola.

Poteva darsi che fosse tutto un seguito di crudeli inganni; ma io pensavo a quanto bella sarebbe stata una sua improvvisa conversione di sentimenti, e quanta gioia avrebbe portato anche a Sebastiana, a Pamela, a tutte le persone che pativano per la sua crudeltà.

— Zio, — dissi a Medardo, — aspettami qui. Corro dalla balia Sebastiana che conosce tutte le erbe e mi faccio dare quella che guarisce i morsi dei ragni.

— La balia Sebastiana...— disse il visconte, stando sdraiato con la mano sul petto. — Come sta, dunque?

Non mi fidai di dirgli che Sebastiana non aveva preso la lebbra e mi limitai a dire: — Eh, così così. Io vado, — e corsi via, desideroso più d'ogni altra cosa di domandare a Sebastiana cosa pensasse di questi strani fenomeni.

Ritrovai la balia nella sua capannuccia. Ero affannato per la corsa e l'impazienza, e le feci un racconto un po' confuso, ma la vecchia s'interessò di più al morso che agli atti di bontà di Medardo.

— Un ragno rosso, dici? Sí, sí, conosco l'erba che ci vuole... A un boscaiolo gonfiò un braccio, una volta... E diventato buono, dici? Mah, cosa vuoi che ti dica, è sempre stato un ragazzo così, anche lui bisogna saperlo prendere... Ma dove ho messo quell'erba? Basta fargli un impacco. Un briccone fin da piccolo, Medardo... Ecco

l'erba, ne avevo messo in serbo un sacchettino...[11] Però, sempre
cosí: quando si faceva male veniva a piangere dalla balia... È
profondo questo morso?

— Ha la mano sinistra gonfia cosí, — dissi.

— Ah, ah, bambino...— rise la balia. — La sinistra... E dove
ce l'ha, Mastro Medardo, la sinistra? L'ha lasciata là in Boemia
da quei turchi, che il diavolo li porti, l'ha lasciata là, tutta la metà
sinistra del suo corpo...

— Eh già, — feci io, — eppure... lui era lí, io ero qui, lui aveva
la mano voltata cosí... Come può essere?

— Non riconosci piú la destra dalla sinistra, adesso? — disse la
balia. — Eppure l'hai imparato fin da quando avevi cinque anni...

Io non mi raccapezzavo piú. Certo Sebastiana aveva ragione, io
però ricordavo tutto all'incontrario.

— Portagli quest'erba, allora, da bravo,[12]— disse la balia e io
corsi via.

Arrivai trafelato al torrente ma mio zio non c'era piú. Guardai
dovunque intorno: era sparito con la sua mano gonfia e avvelanata.

Veniva sera e giravo tra gli olivi. Ed ecco che lo vedo, avvolto
nel mantello nero, in piedi su una riva appoggiato a un tronco. Mi
dava le spalle e guardava verso il mare. Io sentii la paura
riprendermi e, fatica,[13] con un fil di voce, riuscii a dire: — Zio,
qui è l'erba per il morso...

Il mezzo viso si voltò subito, contratto in una smorfia feroce.

— Che erba, che morso? — gridò.

— Ma l'erba per guarire...— dissi. Ecco che quell'espressione
dolce di prima gli era scomparsa, era stato un momento passeggero; ora forse lentamente gli ritornava, in un sorriso teso, ma
si vedeva bene ch'era una finzione.

— Sí... bravo... mettila nel cavo di quel tronco... la prenderò
piú tardi...— disse.

---

[11] *ne . . . sacchettino*   I had put aside a little bag of it
[12] *da bravo*   like a good boy
[13] *a fatica*   with difficulty

Io obbedii e cacciai la mano nel cavo. Era un nido di vespe. Mi volarono tutte contro. Presi a correre, inseguito dallo sciame, e mi buttai nel torrente. Nuotai sott'acqua e riuscii a disperdere le vespe. Levando il capo, udii la buia risata del visconte che s'allontanava.

Una volta ancora era riuscito a ingannarci. Ma molte cose non capivo, e andai dal dottor Trelawney per parlargliene. L'inglese era nella sua casetta da becchino, al lume d'una lucernetta, chino su un libro d'anatomia umana, caso raro.

— Dottore, — gli chiesi, — s'è mai dato [14] che un uomo morso dal ragno rosso uscisse incolume?

— Ragno rosso, tu dici? — saltò su il dottore. — Chi ha ancora morso il ragno rosso?

— Il mio visconte zio, — dissi, — e già gli avevo portata l'erba della balia quando da buono che sembrava divenuto è tornato cattivo e ha rifiutato il mio soccorso.

— Or ora [15] ho curato il visconte dal morso d'un ragno rosso alla mano, — disse Trelawney.

— E mi dica, dottore: le è parso buono o cattivo?

Allora il dottore mi raccontò com'era andata.

Dopo che io avevo lasciato il visconte sdraiato sull'erba con la mano enfiata, era passato di lí il dottor Trelawney. S'accorge del visconte, e preso come sempre da paura, cerca di nascondersi tra gli alberi. Ma Medardo ha sentito i passi e s'alza e grida: — Ehi, chi è là? — L'inglese pensa: «Se scopre che son io che mi nascondo, chissà che cosa m'almanacca contro!»[16] e scappa per non esser riconosciuto. Ma inciampa e cade nel laghetto del torrente. Pur avendo passato la vita sulle navi, il dottor Trelawney non sa nuotare, e starnazza in mezzo al laghetto, e grida aiuto. Allora il visconte dice: — Aspett'a me, — e va sulla riva, scende nell'acqua tenendosi appeso, con la sua mano dolorante, a una radice d'albero

---

[14] *s'è mai dato*   has it ever happened
[15] *or ora*   just now
[16] *chissà . . . contro*   who knows what he will think up to do to me

che sporge, s'allunga finché il suo piede può essere afferrato dal dottore. Lungo e sottile com'è, gli fa da corda perché lui possa raggiungere la riva.

Ecco che sono in salvo e il dottore balbetta: — Oh, oh, milord... grazie, vero, milord... come posso...— e gli starnuta in faccia, perché s'è preso un raffreddore.

— Salute a lei! — dice Medardo, — ma si copra, la prego, — e gli mette il suo mantello sulle spalle.

Il dottore si schermisce, confuso piú che mai. E il visconte gli fa: — Tenga, è suo.

Allora Trelawney s'accorse della mano gonfia di Medardo.

— Quale bestia l'ha punto?

— Un ragno rosso.

— Lasci che la curi, milord.

E lo porta alla sua casetta da becchino, dove acconcia la mano con farmachi e con bende.[17] Intanto il visconte discorre con lui pieno d'umanità e di cortesia. Si lasciano con la promessa di rivedersi presto e rafforzare l'amicizia.

— Dottore! — dissi io, dopo avere ascoltato il suo racconto. — Il visconte che lei ha curato, è tornato poco dopo in preda alla sua crudele follía e m'ha snidato contro un nugolo di vespe.

— Non quello che ho curato io, — disse il dottore e strizzò l'occhio.

— Che vuol dire, dottore?

— Saprai in seguito.[18] Ora non farne parola ad alcuno. E lasciami ai miei studi, ché si preparano tempi contrastati.

E il dottor Trelawney non si curò piú di me: risprofondò in quell'inconsueta sua lettura del trattato d'anatomia umana. Doveva avere un suo progetto in testo, e per tutti i giorni che seguirono rimase reticente e assorto.

[17] *dove . . . bende* where he attended to the hand with medication and bandages
[18] *Saprai in seguito.* You'll find out later.

Ma da piú parti cominciavano a giungere notizie d'una doppia natura di Medardo. Bambini smarriti nel bosco venivano con gran loro paura raggiunti dal mezz'uomo con la gruccia che li riportava per mano a casa e regalava loro fichifiori e frittelle; povere vedove venivano da lui aiutate a trasportar fascine; cani morsi dalla vipera venivano curati, doni misteriosi venivano ritrovati dai poveri sui davanzali e sulle soglie, alberi da frutta sradicati dal vento venivano raddrizzati e rincalzati nelle loro zolle prima che i proprietari avessero messo il naso fuor dell'uscio.

Nello stesso tempo però le apparizioni del visconte mezz'avvolto nel mantello nero segnavano avvenimenti: bimbi rapiti venivano poi trovati prigionieri in grotte ostruite da sassi; frane di tronchi e rocce rovinavano sopra le vecchiette; [19] zucche appena mature venivano fatte a pezzi per solo spirito malvagio.

La balestra del visconte da tempo colpiva solo piú le rondini; e in modo non da ucciderle ma solo da ferirle e da storpiarle. Però ora si cominciavano a vedere nel cielo rondine con le zampine fasciate e legate a stecchi di sostegno, o con le ali incollate o incerottate; c'era tutto uno stormo di rondini cosí bardate che volavano con prudenza tutte assieme, come convalescenti d'un ospedale uccellesco, e inverosimilmente si diceva che lo stesso Medardo ne fosse il dottore.

Una volta un temporale colse Pamela in un distante luogo incolto, con la sua capra e la sua anatra. Sapeva che lí vicino era una grotta, seppur piccola, una cavità appena accennata nella roccia, e vi si diresse. Vide che ne usciva uno stivale frusto e rabberciato, e dentro c'era rannicchiato il mezzo corpo avvolto nel mantello nero. Fece per fuggire ma già il visconte l'aveva scorta e uscendo sotto la pioggia scrosciante le disse:

— Riparati qui, ragazza, vieni.

— No che non mi ci riparo, — disse Pamela, — perché ci si sta appena in uno, e voi volete farmici stare spiacciata.

---

[19] *rovinavano . . . vecchiette* fell down with a crash on poor old women

— Non aver paura, — disse il visconte. — Io resterò fuori e tu
potrai stare a tuo agio al riparo, insieme alla tua capra e alla tua
anatra.

— Capra e anatra posson prendersi anche l'acqua.

— Vedrai che ripariamo anche loro.   5

Pamela, che aveva sentito raccontare degli strani accessi di bontà
del visconte, si disse. «Vediamo un po'» e si raggomitolò nella
grotta, serrandosi contro le due bestie. Il visconte, ritto lí davanti,
teneva il mantello come una tenda in modo che non si bagnassero
neppure l'anatra e la capra. Pamela guardò la mano di lui che   10
teneva il mantello, rimase un momento sovrappensiero, si mise a
guardar le proprie mani, le confrontò l'una con l'altra, e poi scoppiò
in una gran risata.

— Son contento che tu sia allegra, ragazza, — disse il visconte,
— ma perché ridi, se è lecito? [20]   15

— Rido perché ho capito quel che fa andar matti tutti i miei
compaesani.

— Cosa?

— Che voi siete un po' buono e un po' cattivo. Adesso tutto è
naturale.   20

— E perché?

— Perché mi son accorta che siete l'altra metà. Il visconte che
vive nel castello, quello cattivo, è una metà. E voi siete l'altra metà,
che si credeva dispersa in guerra e ora invece è ritornata. Ed è una
metà buona.   25

— Questo è gentile. Grazie.

— Oh, è cosí, non è per farvi un complimento.

Ecco dunque la storia di Medardo, come Pamela l'apprese
quella sera. Non era vero che la palla di cannone avesse sbriciolato
parte del suo corpo: egli era stato spaccato in due metà; l'una fu   30
ritrovata dai raccoglitori di feriti dell'esercito; l'altra restò sepolta
sotto una piramide di resti cristiani e turchi e non fu vista. Nel cuor
della notte passarono per il campo due eremiti, non si sa bene se

[20] *se è lecito*   if I may ask

fedeli alla retta religione o negromanti, i quali, come accade a certuni nelle guerre, s'erano ridotti a vivere nelle terre deserte tra i due campi, e forse, ora si dice, tentavano d'abbracciare insieme la Trinità cristiana e l'Allah di Maometto. Nella loro bizzarra pietà, quegli eremiti, trovato il corpo dimezzato di Medardo, l'avevano portato alla loro spelonca, e lí, con balsami e unguenti da loro preparati, l'avevano medicato e salvato. Appena ristabilito in forze, il ferito s'era accomiatato dai salvatori e, arrancando con la sua stampella, aveva percorso per mesi e anni le nazioni cristiane per tornare al suo castello, meravigliando le genti lungo la via coi suoi atti di bontà.

Dopo aver raccontato a Pamela la sua storia, il mezzo visconte buono volle che la pastorella gli raccontasse la propria. E Pamela spiegò come il Medardo cattivo la insidiasse e come ella fosse fuggita di casa e vagasse per i boschi. Al racconto di Pamela il Medardo buono si commosse, e divise la sua pietà tra la virtù perseguitata della pastorella, la tristezza senza conforto del Medardo cattivo, e la solitudine dei poveri genitori di Pamela.

— Quelli poi! — disse Pamela. — I miei genitori sono due vecchi malandrini. Non è proprio il caso che li compiangete.

— Oh, pensa a loro, Pamela, come saran tristi a quest'ora nella loro vecchia casa, senza nessuno che li badi e faccia i lavori dei campo e della stalla.

— Rovinasse sulle loro teste, la stalla! — disse Pamela. — Comincio a capire che siete un po' troppo tenerello e invece di prendervela [21] con l'altro vostro pezzo, pare quasi che abbiate pietà anche di lui.

— E come non averne? Io che so cosa vuole dire esser metà d'un uomo, non posso non compiangerlo.

— Ma voi siete diverso; un po' tocco anche voi, ma buono.

Allora il buon Medardo disse: — O Pamela, questo è il bene dell'esser dimezzato: il capire d'ogni persona e cosa al mondo la pena che ognuno e ognuna ha per la propria incompletezza. Io ero

---

[21] *invece di prendervela*   instead of getting angry

intero e non capivo, e mi muovevo sordo e incomunicabile tra i
dolori e le ferite seminati dovunque, là dove meno da intero uno
osa credere. Non io solo, Pamela, sono un essere spaccato e divelto,
ma tu pure e tutti. Ecco ora io ho una fraternità che prima, da
intero, non conoscevo: quella con tutte le mutilazioni e le mancanze   5
del mondo. Se verrai con me, Pamela, imparerai a soffrire dei mali
di ciascuno e a curare i tuoi curando i loro.

— Questo è molto bello, — disse Pamela, — ma io sono in
un gran guaio, con quell'altro vostro pezzo che s'è innamorato di
me e non si sa cosa vuol farmi.   10

Mio zio lasciò cadere il mantello perché il temporale era finito.

— Anch'io sono innamorato di te, Pamela.

Pamela saltò fuor della grotta: — Che gioia! C'è l'arcobaleno in
cielo e io ho trovato un nuovo innamorato. Dimezzato anche
questo, però d'animo buono.   15

Camminavano sotto rami ancora stillanti per sentieri tutti
fangosi. La mezza bocca del visconte s'arcuava in un dolce, incompleto sorriso.

— Allora, cosa facciamo? — disse Pamela.

— Io direi d'andare dai tuoi genitori, poverini, a aiutarli un   20
po' nelle faccende.

— Vacci tu se ne hai voglia, — disse Pamela.

— Io sí che ne ho voglia, cara, — fece il visconte.

— E io resto qui, — disse Pamela e si fermò con l'anatra e la
capra.   25

— Fare insieme buone azioni è l'unico modo per amarci.

— Peccato. Io credevo che ci fossero altri modi.

— Addio, cara. Ti porterò della torta di mele —. E s'allon-
tanò sul sentiero a spinte di stampella.

— Che ne dici, capra? Che ne dici, anatrina? — fece Pamela,   30
sola con le sue bestie. — Tutti tipi cosí devono capitarmi? [22]

---

[22] *Tutti . . . capitarmi?* Do I have to get all the characters?

VIII

Da quando fu noto a tutti che era
tornata l'altra metà del visconte, buona quanto la prima era cattiva,
la vita a Terralba fu molto diversa.

Al mattino accompagnavo il dottor Trelawney nel suo giro di
visite ai malati; perché il dottore a poco a poco aveva ripreso a
praticar la medicina e s'era accorto di quanti mali soffrisse la nostra
gente, cui le lunghe carestie dei tempi andati avevano minato la
fibra, mali di cui non s'era mai prima dato cura.

Andavamo per le vie di campagna e vedevamo i segni che mio
zio ci aveva preceduti. Mio zio il buono, intendo, il quale ogni
mattina faceva anch'egli il giro non solo dei malati, ma pure dei
poveri, dei vecchi, di chiunque avesse bisogno di soccorso.

Nell'orto di Bacciccia, il melograno aveva i frutti maturi fasciati ognuno con una pezzuola annodata intorno. Capimmo che Bacciccia aveva male ai denti. Mio zio aveva fasciato i melograni perché non si squarciassero e sgranassero ora che il male impediva al proprietario d'uscire a coglierli; ma anche come segnale per il dottor Trelawney, che passasse a visitare il malato e portasse le tenaglie.

Il priore Cecco aveva un girasole sul terrazzo, stento che non fioriva mai. Quel mattino trovammo tre galline legate lí, sulla ringhiera, che mangiavano becchime a tutt'andare[1] e scaricavano sterco bianco nel vaso del girasole. Capimmo che il priore doveva aver la cagarella. Mio zio aveva legato le galline per concimare il girasole, ma anche per avvertire il dottor Trelawney di quel caso urgente.

Sulla scala della vecchia Giromina vedemmo una fila di lumache che saliva su verso la porta: lumaconi di quelli da mangiare cotti. Era un regalo che mio zio aveva portato dal bosco a Giromina, ma anche un segnale che il mal di cuore della povera vecchia era peggiorato e che il dottore facesse piano entrando, per non spaventarla.

Tutti questi segni di communicazione erano usati dal buon Medardo per non allarmare i malati con una richiesta troppo brusca delle cure del dottore, ma anche perché Trelawney avesse subito un'idea di cosa si trattava, già prima d'entrare, e cosí vincesse la sua ritrosia a metter piede nelle case altrui e ad avvicinare malati che non sapeva cos'avessero.

A un tratto per la valle correva l'allarme: — Il Gramo! Arriva il Gramo!

Era la metà grama di mio zio che era stata vista cavalcare nei paraggi.[2] Allora ognuno correva a nascondersi, e primo di tutti il dottor Trelawney, con me dietro.

Passavamo davanti alla casa di Giromina e sulla scala c'era una

---

[1] *a tutt'andare* without stopping; for all they were worth
[2] *nei paraggi* in the vicinity

striscia di lumache spiaccicate, tutta bava e schegge di gusci.[3]

— È già passato di qui! Gamba! [4]

Sul terrazzo del priore Cecco le galline erano legate al graticcio dov'erano messi a seccare i pomodori,[5] e stavano bruttando tutto quel ben di Dio.

— Gambe!

Nell'orto di Bacciccia i melograni erano tutti sfracellati in terra e dai rami pendevano le staffe delle pezzuole vuote.

— Gambe!

Cosí tra carità e terrore trascorrevano le nostre vite. Il Buono (com'era chiamata la metà sinistra di mio zio, in contrapposizione al Gramo, ch'era l'altra), era tenuto ormai in conto di santo. Gli storpi, i poverelli, le donne tradite, tutti quelli che avevano una pena correvano da lui. Avrebbe potuto approfittarne e diventare lui visconte. Invece continuava a fare il vagabondo, a girare mezz'avvolto nel suo mantello nero, appoggiato alla stampella, con la calza bianca e azzurra piena di rammendi, a far del bene tanto a chi glielo chiedeva come a chi lo cacciava in malo modo. E non c'era pecora che si spezzasse gamba in burrone, non bevitore che traesse coltello in taverna, non sposa adultera che corresse nottetempo ad amante, che non se lo vedessero apparire lí come piovuto dal cielo,[6] nero e secco e col dolce sorriso, a soccorrere, a dar buoni consigli, a prevenire violenze e peccati.

Pamela stava sempre nel bosco. S'era fatta un'altalena tra due pini, poi una piú solida per la capra e un'altra piú leggera per l'anatra e passava le ore a dondolarsi assieme alle sue bestie. Ma a una certa ora, arrancando tra i pini, arrivava il Buono, con un fagotto legato alla spalla. Era roba da lavare e da rammendare

---

[3] *c'era . . . gusci* there was a strip of crushed snails, all slime and splinters of shells.

[4] *Gambe!* Let's get a move on!

[5] *le galline . . . pomodori* the hens were tied to the trellis where they were put to play havoc with the tomatoes

[6] *come piovuto dal cielo* as though he had fallen from the sky

che lui raccoglieva dai mendicanti, dagli orfani e dai malati soli al mondo; e la faceva lavare a Pamela, dando modo anche a lei di far del bene. Pamela, che a star sempre nel bosco s'annoiava, lavava la roba nel ruscello e lui l'aiutava. Poi lei stendeva tutto a asciugare sulle corde delle altalene, e il Buono seduto su una pietra le leggeva la *Gerusalemme Liberata.*[7]

A Pamela della lettura non importava niente e se ne stava sdraiata in panciolle [8] sull'erba, spidocchiandosi, (perché vivendo nel bosco s'era presa un po' di bestioline), grattandosi con una pianta, sbadigliando, sollevando sassi per aria con i piedi scalzi, e guardandosi le gambe che erano rosa e cicciose quanto basta. Il Buono, senz'alzar l'occhio dal libro, continuava a declamare un'ottava dopo l'altra, nell'intento d'ingentilire i costumi [9] della rustica ragazza.

Ma lei, che non seguiva il filo [10] e s'annoiava, zitta zitta incitò la capra a leccare sulla mezza faccia il Buono e l'anatra a posarglisi sul libro. Il Buono fece un balzo indietro e alzò il libro che si chiuse; ma proprio in quel momento il Gramo sbucò di tra gli alberi al galoppo, brandendo una gran falce tesa contro il Buono. La lama della falce incontrò il libro e lo tagliò di netto in due metà per il lungo.[11] La parte della costola restò in mano al Buono, e la parte del taglio si sparse in mille mezze pagine per l'aria. Il Gramo sparí galoppando; certo aveva tentato di falciar via la mezza testa del Buono, ma le due bestie erano capitate lí al momento giusto.[12] Le pagine del Tasso con i margini bianchi e i versi dimezzati volarono sul vento e si posarono sui rami dei pini, sulle

---

[7] *Gerusalemme Liberata* [A heroic poem in octave form, written by Torquato Tasso (1544-1595), following the tradition of Lodovico Ariosto's *Orlando Furioso* (1516). The theme of the Crusades is interwoven with episodes of love, magical spells and chivalric deeds.]

[8] *se . . . panciolle* she lolled about in the grass

[9] *nell'intento . . . costumi* with the intention of refining the habits

[10] *che . . . filo* who was not following the thread (of the story)

[11] *lo . . . lungo* cut it cleanly into two halves lengthwise

[12] *ma . . . giusto* but the two animals had turned up there at just the right moment

erbe e sull'acqua dei torrenti. Dal ciglio d'un poggio Pamela guardava quel bianco svolare e diceva: — Che bello!

Qualche mezzo foglio arrivò fin sul sentiero per il quale passavamo il dottor Trelawney e io. Il dottore ne prese uno al volo,[13] lo girò e rigirò, provò a decifrare quei versi senza capo o senza coda e scosse la testa: — Ma non si capisce niente...Zzt...zzt...

La fama del Buono era giunta anche tra gli ugonotti, e il vecchio Ezechiele spesso era stato visto fermarsi sul piú alto ripiano della gialla vigna, guardando la mulattiera sassosa che saliva da valle.

— Padre, — gli disse uno dei suoi figli, — vi vedo guardare a valle come attendeste l'arrivo di qualcuno.

— È dell'uomo attendere, — rispose Ezechiele, — è dell'uomo giusto, attendere con fiducia; dell'ingiusto, con paura.

— È lo Zoppo-dall'altra-gamba, che attendete, padre?

— Ne hai sentito parlare?

— Non si parla d'altro, a valle, che del Monco-mancino. Pensate che verrà fino da noi quassú?

Se la nostra è terra di gente che vive nel bene, e lui vive nel bene, non c'è ragione perché non venga.

— La mulattiera è ripida per chi ha da farla a forza di stampella.[14]

— Ci fu già uno Spiedato [15] che trovò un cavallo per salirci.

Udendo parlare Ezechiele, gli altri ugonotti gli s'erano radunati intorno, sbucando di tra i filari. E al sentire alludere al visconte, rabbrividirono in silenzio.

— Padre nostro, Ezechiele, — dissero, — quando venne il Sottile, quella notte, e il fulmine incendiò mezza rovere, voi diceste che forse un giorno saremmo stati visitati da un viandante migliore.

Ezechiele assentí abbassando la barba fin sul petto.

— Padre, questo di cui ora si parlava è uno Sciancato [16] uguale

---

[13] *Il dottore . . . volo*   The doctor caught one in mid-air
[14] *a forza di stampella*   by dint of a crutch
[15] *uno Spiedato*   a footless one
[16] *uno Sciancato*   a lopsided one

e opposto all'altro, sia nel corpo che nell'anima: pietoso come
l'altro era crudele. Che sia il visitatore preannunciato dalle vostre
parole?

— Ogni viandante d'ogni strada può esserlo, — disse Ezechiele,
— quindi, anche lui.

— Allora tutti speriamo che lo sia, — dissero gli ugonotti.

La moglie d'Ezechiele veniva avanti con lo sguardo fisso davanti
a sé, spingendo una carriola di sarmenti. — Noi speriamo sempre
ogni cosa buona, — disse, — però anche se chi zoppica per questi
nostri colli è solo qualche povero mutilato della guerra, buono o
cattivo d'animo, noi ogni giorno dobbiamo continuare a agire
secondo giustizia e a coltivare i nostri campi.

— Questo è inteso, — risposero gli ugonotti, — abbiamo detto
qualcosa che significhi il contrario?

— Bene, se siamo tutti d'accordo, — disse la donna, — possiamo
tornare tutti alle zappe e ai bidenti.

— Peste e carestia! — scoppiò Ezechiele. — Chi v'ha detto di
smetter di zappare?

Gli ugonotti si sparsero tra i filari per raggiungere gli attrezzi
abbandonati nei solchi, ma in quel momento Esaú, che vedendo
suo padre disattentato s'era arrampicato sul fico a mangiare i frutti
primaticci, gridò:

— Laggiú! Chi arriva su quel mulo?

Un mulo infatti veniva su per la salita con un mezz'uomo legato
sopra il basto. Era il Buono, che aveva comprato quella vecchia
bestia scorticata mentre stavano per annegarla nel torrente, perché
era tanto malandata che non serviva neanche piú per il macello.

«Tanto, io peso la metà d'un uomo, — si disse, — e il vecchio
mulo potrà sopportarmi. E avendo anch'io la mia cavalcatura,
potrò andar piú lontano a far del bene». Cosí, come primo viaggio,
se ne veniva a trovare gli ugonotti.

Gli ugonotti lo accolsero schierati e impalati, cantando un salmo.
Poi il vecchio gli andò vicino e lo salutò come fratello. Il Buono,
sceso dal mulo, rispose cerimoniosamente a quei saluti, baciò la
mano alla moglie di Ezechiele che stette dura e arcigna, s'informò

della salute di tutti, allungò la mano per carezzare l'ispida testa d'Esaú che si tirò indietro, s'interessò ai fastidi di ciascuno, si fece raccontare la storia delle loro persecuzioni, commuovendosi e recriminando. Naturalmente, ne parlarono senz'insistere sulla
⁵ controversia religiosa, come d'una sequela di disgrazie imputabili alla generale cattiveria umana.¹⁷ Medardo sorvolò sul fatto che le persecuzioni venivano da parte della chiesa cui lui apparteneva, e gli ugonotti da parte loro non s'imbarcarono in affermazioni di fede, anche per timore di dire cose teologicamente errate. Cosí finirono
¹⁰ in vaghi discorsi caritevoli, disapprovando ogni violenza e ogni eccesso. Tutti d'accordo, ma l'insieme fu un po' freddo.

Poi il Buono visitò la campagna, li compianse per gli scarsi raccolti, e fu contento perché se non altro avevano avuto una buon'-annata di segala.¹⁸
¹⁵ — A quanto la vendete? — chiese loro.

— Tre scudi la libbra, — disse Ezechiele.

— Tre scudi la libbra? Ma i poveri di Terralba muoiono di fame, amici, e non possono neanche comprare un pugno di segala! Forse voi non sapete che la grandine ha distrutto i raccolti della
²⁰ segala, a valle, e voi siete i soli che potete sollevare tante famiglie dalla fame?

— Lo sappiamo, — disse Ezechiele, — è proprio per questo che possiamo vender bene...

— Ma pensate alla carità che sarebbe per quei poveretti, se voi
²⁵ abbassate il prezzo della segala... Pensate al bene che potete fare...

Il vecchio Ezechiele si fermò davanti al Buono a braccia conserte ¹⁹ e tutti gli ugonotti lo imitarono.

— Fare la carità, fratello, — disse, — non vuol dire rimetterci sui prezzi.

¹⁷ *come . . . umana*   as of a series of misfortunes ascribable to general human wickedness
¹⁸ *perché . . . segala*   because if nothing else they had had a good rye crop
¹⁹ *a braccia conserte*   with folded arms

Il Buono andava per i campi e vedeva vecchi ugonotti scheletriti zappare sotto il sole.

— Avete una brutta cera,[20]— disse a un vecchio con la barba tanto lunga che ci zappava sopra, — forse non vi sentite bene?

— Bene come può sentirsi uno che zappa per dieci ore a settant'anni con una minestra di rape nella pancia.

—È mio cugino Adamo, — disse Ezechiele, — un lavoratore eccezionale.

— Ma voi dovete riposarvi e nutrirvi, vecchio come siete! — stava dicendo il Buono, ma Ezechiele lo trascinò via bruscamente.

— Tutti qui ci guadagniamo il pane molto duramente, fratello, — disse in tono da non ammetter replica.

Prima, appena smontato dal mulo, il Buono aveva voluto legare lui stesso la sua bestia, e aveva chiesto un sacco di biada per rinfrancarlo della salita. Ezechiele e sua moglie s'erano guardati, perché secondo loro [21] per un mulo cosí bastava una manciata di cicoria selvatica; ma erano nel momento piú caloroso dell'accoglienza all'ospite, e avevano fatto portare la biada. Adesso, però, ripensandoci, il vecchio Ezechiele non poteva proprio ammettere che quella carcassa di mulo mangiasse la poca biada che avevano, e senza farsi sentir dall'ospite, chiamò Esaú e gli disse:

— Esaú, vai pian piano dal mulo, levagli la biada e dàgli qualcos'altro.

— Un decotto per l'asma? [22]

— Torsoli di granturco, involucri di ceci, quel che vuoi.

— Esaú andò, tolse il sacco al mulo e si prese un calcio che lo fece camminare zoppo per un pezzo.[23] Per rifarsi nascose la biada rimasta per venderla per conto suo, e disse che il mulo l'aveva già finita tutta.[24]

[20] *Avete una brutta cera* You look ill
[21] *secondo loro* in their opinion
[22] *Un decotto per l'asma?* A decoction for asthma?
[23] *per un pezzo* for quite a while
[24] *Per . . . tutta* In order to get his revenge, he hid the remaining fodder to sell on his own account, and said that the mule had already finished it all.

Era il tramonto. Il Buono era con gli ugonotti in mezzo ai campi e non sapevano piú che cosa dirsi.

— Noi abbiamo ancora un'ora buona di lavoro davanti a noi, ospite, —disse la moglie d'Ezechiele.

—Allora io tolgo l'incomodo.[25]

— Buona fortuna, ospite.

E il buon Medardo ritornò sul suo mulo.

— Un povero mutilato di guerra, — disse la donna quando se ne fu andato. — Quanti ve ne sono in questa regione! Poveretti!

— Poveretti, davvero, — convennero tutti i familiari.

— Peste e carestia! — urlava il vecchio Ezechiele girando per i campi, a pugna levate davanti ai lavori malfatti e ai danni della siccità. — Peste e carestia!

[25] *Allora . . . l'incomodo.* Well, then, I'll take my leave, (I won't disturb you any longer).

ix

Spesso, il mattino andavo alla bottega di Pietrochiodo a vedere le macchine che l'ingegnoso maestro stava costruendo. Il carpentiere viveva in angosce e rimorsi sempre maggiori, da quando il Buono veniva a trovarlo nottetempo e gli rimproverava il triste fine delle sue invenzioni, e lo incitava a costruire meccanismi messi in moto dalla bontà e non dalla sete di sevizie.

— Ma quale macchina debbo dunque costruire, Mastro Medardo? — chiedeva Pietrochiodo.

— Ora ti spiego: potresti per esempio...—e il Buono cominciava a descrivergli la macchina che gli avrebbe ordinato lui, se fosse

stato visconte al posto dell'altra sua metà, e s'aiutava nella spiegazione tracciando confusi disegni.

A Pietrochiodo parve dapprincipio che questa macchina dovesse
essere un organo, un gigantesco organo i cui tasti muovessero
musiche dolcissime, e già si disponeva a cercare il legno adatto per
le canne, quando da un altro colloquio col Buono tornò con le idee
piú confuse, perché pareva che egli volesse far passare per le canne
non aria ma farina. Insomma doveva essere un organo ma anche
un mulino, che macinasse per i poveri, e anche, possibilmente, un
forno, per fare le foccace. Il Buono ogni giorno perfezionava la
sua idea e impiastricciava di disegni carte e carte, ma Pietrochiodo
non riusciva a tenergli dietro: perché quest'organo-mulino-forno
doveva pure tirar l'acqua su dai pozzi risparmiando la fatica agli
asini, e spostarsi su ruote per contentare i diversi paesi, e anche
nei giorni delle feste sospendersi per aria e acchiappare, con reti
tutt'intorno, le farfalle.[1]

E al carpentiere veniva il dubbio che costruir macchine buone
fosse al di là delle possibilità umane, mentre le sole che veramente
potessero funzionare con praticità ed esattezza fossero i patiboli
e i tormenti. Difatti, appena il Gramo esponeva a Pietrochiodo
l'idea d'un nuovo meccanismo, subito al maestro veniva in mente il
modo per realizzarlo e si metteva all'opera,[2] e ogni particolare gli
appariva insostituibile e perfetto, e lo strumento finito un capolavoro di tecnica e d'ingegno.

Il maestro s'angustiava: — Sarà forse nel mio animo questa
cattiveria che mi fa riuscire solo macchine crudeli? — Ma intanto
continuava a inventare, con zelo e abilità, altri tormenti.

Un giorno lo vidi lavorare intorno a uno strano patibolo, in cui
una forca bianca incorniciava una parete di legno nero, e la corda,

---

[1] *sospendersi . . . farfalle* suspend itself in the air, and with nets
all around, catch butterflies
[2] *subito . . . opera* the master immediately got the idea of how to
accomplish it and began the work

pure bianca, scorreva attraverso due buchi nella parete, proprio nel punto del laccio scorsoio.[3]

— Cos'è questa macchina, maestro? — gli domandai.

— Una forca per impiccare di profilo, — disse

— E per chi l'avete costruita?

— Per un uomo solo che condanna ed è condannato. Con metà testa condanna se stesso alla pena capitale,[4] e con l'altra metà entra nel nodo scorsoio ed esala l'ultimo fiato.[5] Io avrei voglia che si confondesse tra le due.

Compresi che il Gramo, sentendo crescere la popolarità della metà buona di se stesso, aveva stabilito di sopprimerla al piú presto.[6]

Difatti chiamò gli sbirri e disse:

— Un losco vagabondo da troppo tempo infesta il nostro territorio seminando zizzania.[7] Entro domani, catturate il mestatore, e portatelo a morte.

— Sarà fatto, signoria, — dissero gli sbirri e se ne andarono. Guercio com'era, il Gramo non s'accorse che rispondendogli s'erano strizzato l'occhio tra di loro.[8]

Bisogna sapere che una congiura di palazzo era stata ordita in quei giorni e ne facevano parte anche gli sbirri. Si trattava d'imprigionare e sopprimere l'attuale mezzo visconte e consegnare il castello e il titolo all'altra metà.

Questa[9] però non ne sapeva niente. E la notte, nel fienile dove abitava si svegliò circondato dagli sbirri.

— Non abbiate paura, — disse il caposbirro, — il visconte ci

---

[3] *Un giorno . . . scorsoio.* One day I saw him working on a strange scaffolding, on which a white gallows framed a wall of black wood, and the rope, also white, ran through two holes in the wall, just at the point of the noose.

[4] *la pena capitale* capital punishment

[5] *esala l'ultimo fiato* breathes his last breath

[6] *al piú presto* as soon as possible

[7] *seminando zizzania* spreading dissension

[8] *s'erano . . . loro* they had winked to each other

[9] *Questa* The latter

ha mandato a trucidarvi, ma noi, stanchi della sua crudele tirannia, abbiamo deciso di trucidare lui e mettere voi al suo posto.

— Che sento mai? E l'avreste già fatto? Dico: il visconte, l'avreste digià trucidato?

⁵ — No, ma lo faremo senz'altro in mattinata.

— Ah, sia ringraziato il cielo! No, non macchiatevi d'altro sangue, ché troppo già ne è stato sparso. Che bene potrebbe venire da una signoria che nasce dal delitto?

— Fa niente: [10] lo chiudiamo nella torre e possiamo star ¹⁰ tranquilli.

— Non alzate le mani su di lui né su nessuno, vi scongiuro! Anche a me addolora la prepotenza del visconte: eppure non c'è altro rimedio che dargli buon esempio, mostrandoglisi gentili e virtuosi.

¹⁵ — Allora dobbiamo trucidare voi, signore.

— E no! Vi ho detto che non dovete trucidare nessuno.

— Come si fa? Se non sopprimiamo il visconte, dobbiamo obbedirgli.

—Tenete quest'ampolla. Contiene alcune once, le ultime che ²⁰ mi rimangono, dell'unguento con cui gli eremiti boemi mi guarirono e che m'è stato finora preziosa quando, al mutare del tempo, [11] mi duole la smisurata cicatrice. Portatelo al visconte e ditegli solo: è il regalo d'uno che sa cosa vuol dire aver le vene che finiscono in un tappo.

²⁵ Gli sbirri andarono al visconte con l'ampolla e il visconte li condannò al patibolo. Per salvare gli sbirri, gli altri congiurati decisero d'insorgere. Maldestri, scoprirono le fila della rivolta che fu soffocata nel sangue. Il Buono portò fiori sulle tombe e consolò vedove e orfani.

³⁰ Chi non si lasciò mai commuovere dalla bontà del Buono fu la vecchia Sebastiana. Andando per le sue zelanti imprese, il Buono

---

¹⁰ *Fa niente*   It doesn't matter
¹¹ *al mutare del tempo*   with the change of weather

si fermava spesso alla capanna della balia e le faceva visita, sempre gentile e premuroso. E lei ogni volta si metteva a fargli un predicozzo.[12] Forse per via del suo indistinto amor materno, forse perché la vecchiaia cominciava a offuscarle i pensieri, la balia non faceva gran conto della separazione di Medardo in due metà: sgridava una metà per le malefatte dell'altra, dava all'una consigli che solo l'altra poteva seguire e cosí via.

— E perché hai tagliato la testa al gallo di nonna Bigin, poverina, che aveva solo quello? Grande come sei, ne fai una per colore...[13]

— Ma perché lo dici a me, balia? Sai che non sono stato io...

— O bella! E sentiamo un po': chi è stato?

— Io. Ma...

—Ah! Vedi!

— Ma non io qui...

Eh, se sono vecchia mi credi anche ingrullita? Io quando sento raccontare qualche birberia subito capisco se è una delle tue. E dico tra me: giurerei che c'è lo zampino di Medardo...

— Ma sbagliate sempre...!

— Mi sbaglio... Voi giovani dite a noi vecchi che sbagliamo... E voialtri? Tu hai regalato la tua stampella al vecchio Isidoro...

— Sí, quello son stato proprio io...

— E te ne vanti? Gli serviva per bastonare sua moglie, poveretta...

— Lui m'ha detto che non poteva camminare per la gotta...

— Faceva finta...[14] E tu subito gli regali la stampella... Ora l'ha rotta sulla schiena di sua moglie e tu giri appoggiandoti a un ramo forcelluto... Sei senza testa, ecco come sei! Sempre cosí! E quando hai ubriacato il toro di Bernardo con la grappa?...

— Quello non ero...

— Eh sí, non eri tu! Se lo dicono tutti: è sempre lui, il visconte!

---

[12] *si metteva a fargli un predicozzo*   began to give him a scolding
[13] *ne fai una per colore*   you play all kinds of pranks
[14] *Faceva finta*   He was pretending

Le frequenti visite del Buono a Pratofungo erano dovute, oltre
che al suo attaccamento filiale per la balia, al fatto che egli in quel
tempo si dedicava a soccorrere i poveri lebbrosi. Immunizzato
dal contagio (sempre, pare, per le cure misteriose degli eremiti),
girava per il villaggio informandosi minutamente dei bisogni di
ciascuno, e non lasciando loro tregua finché non s'era prodigato
per loro in tutti i modo. Spesso, sul dorso del suo mulo, faceva la
spola [15] tra Pratofungo e la casetta del dottor Trelawney, chiedendo
consigli e medicine. Non che il dottore avesse ora il coraggio
d'avvicinarsi ai lebbrosi, ma pareva cominciasse, con il buon
Medardo per intermediario, a interessarsi di loro.

Però l'intento di mio zio andava piú lontano: non s'era proposto
di curare solo i corpi dei lebbrosi, ma pure le anime. Ed era sempre
in mezzo a loro a far la morale, a ficcare il naso nei loro affari, a
scandalizzarsi e a far prediche.[16] I lebbrosi non lo potevano
soffrire. I tempi beati e licenziosi di Pratofungo erano finiti. Con
questo esile figuro ritto su una gamba sola, nerovestito, cerimonioso
e sputasentenze,[17] nessuno poteva fare il piacer suo senz'essere
recriminato in piazza suscitando malignità e ripicche.[18] Anche la
musica, a furia di sentirsela rimproverare come futile, lasciva e
non ispirata a buoni sentimenti, venne loro in uggia,[19] e i loro
strani strumenti si coprirono di polvere. Le donne lebbrose, senza
piú quello sfogo di far baldoria,[20] si trovarono a un tratto sole di
fronte alla malattia, e passavano le sere piangendo e disperandosi.

— Delle due metà è peggio la buona della grama, — si cominciava a dire a Pratofungo.

---

[15] *faceva la spola*   shuttled back and forth
[16] *far la morale . . . prediche*   to moralize, to stick his nose into their
business, to be scandalized and to give sermons
[17] *sputasentenze*   sententious
[18] *nessuno . . . ripicche*   no one could do what he wanted without
being publicly chided, thus stirring up malice and resentment
[19] *venne loro in uggia*   became distasteful to them
[20] *far baldoria*   to make merry

Ma non era soltanto tra i lebbrosi che l'ammirazione per il buono era andata scemando.

— Meno male che la palla di cannone l'ha solo spaccato in due,[21] — dicevano tutti, — se lo faceva in tre pezzi, chissà cosa ancora ci toccava di vedere.[22]

Gli ugonotti ora facevano i turni di guardia per proteggersi anche da lui, che ormai aveva perso ogni rispetto verso di loro e veniva a tutte le ore a spiare quanti sacchi vi fossero nei loro granai e a far prediche sui prezzi troppo alti e dopo andava a raccontarlo in giro rovinando i loro commerci.

Cosí passavamo i giorni a Terralba, e i nostri sentimenti si facevano incolori e ottusi, poiché ci sentivamo come perduti tra malvagità e virtú ugualmente disumane.

---

[21] *Meno male . . . due* It's a good thing that the cannon ball only split him in two

[22] *chissà . . . vedere* who knows what else we would have seen

X

Non c'è notte di luna in cui negli animi malvagi le idee perverse non s'aggroviglino come nidiate di serpenti, e in cui negli animi caritatevoli non sboccino gigli di rinuncia e dedizione. Cosí tra i dirupi di Terralba le due metà di Medardo vagavano tormentate da rovelli opposti.

Presa entrambe la propria decisione, al mattino si mossero per metterla in pratica.

La mamma di Pamela, andando a attinger acqua, cadde in un trabocchetto e sprofondò nel pozzo. Appesa ad una corda, urlava:

— Aiuto! — quando vide nel cerchio del pozzo, contro il cielo, la sagoma del Gramo che le disse:

— Volevo solo parlarvi. Ecco quanto io ho pensato: [1] in compagnia di vostra figlia Pamela si vede spesso un vagabondo dimezzato. Dovete costringerlo a sposarla: ormai l'ha compromessa e se è un gentiluomo deve riparare. Ho pensato cosí; non chiedete che vi spieghi altro.

Il babbo di Pamela portava al frantoio un sacco di olive del suo olivo, ma il sacco aveva un buco, e una scia d'olive lo seguiva pel sentiero. Sentendo alleggerito il carico, il babbo tolse il sacco dalla spalla e s'accorse che era quasi vuoto. Ma dietro vide che veniva il Buono: raccoglieva le olive una per una e le metteva nel mantello.

— Vi seguivo per parlarvi e ho avuto la fortuna di salvarvi le olive. Ecco quanto ho in cuore. Da tempo penso che l'infelicità altrui ch'è mio intento soccorrere, forse è alimentata proprio dalla mia presenza. Me ne andrò da Terralba. Ma solo se questa mia partenza ridarà pace a due persone: a vostra figlia che dorme in una tana mentre le spetta un nobile destino, [2] e alla mia infelice parte destra che non deve restare cosí sola. Pamela e il visconte devono unirsi in matrimonio.

Pamela stava ammaestrando uno scoiattolo quando incontrò sua mamma che fingeva d'andar per pigne.

— Pamela, — disse la mamma, — è giunto il tempo che quel vagabondo chiamato il Buono ti debba sposare.

— Donde viene quest'idea? — disse Pamela.

— Lui t'ha compromessa, lui ti sposi. È tanto gentile che se gli dici cosí non vorrà dir di no.

— Ma come ti sei messa in testa questa storia?

— Zitta: sapessi chi me l'ha detto non faresti piú tante domande: il Gramo in persona, me l'ha detto, il nostro illustrissimo visconte!

— Accidenti! [3] — disse Pamela lasciando cadere lo scoiattolo d'in grembo, — chissà che tranello vuole preparare.

[1] *Ecco quanto io ho pensato:* Here is what I have thought:
[2] *le spetta un nobile destino* a noble destiny is hers by right
[3] *Accidenti!* Damn!

Di lí a poco, stava imparando a fischiare con una foglia d'erba tra le mani quando incontrò suo babbo che faceva finta d'andare per legna.

— Pamela, — disse il babbo, — è ora che tu dica di sí al visconte Gramo, al solo patto che ti sposi in chiesa.

— È un'idea tua o qualcuno te l'ha detto?

— Non ti piace diventare viscontessa?

—Rispondimi a quello che t'ho domandato.

—Bene; pensa che lo dice l'anima meglio intenzionata che ci sia: il vagabondo che chiamano il Buono.

— Ah, non ne ha piú da pensare, quello lí. Vedrai cosa combino!

Andando con il magro cavallo per le fratte, il Gramo rifletteva sul suo stratagemma: se Pamela si sposava col Buono, di fronte alla legge era sposa di Medardo di Terralba, cioè era sua moglie. Forte di questo diritto, il Gramo avrebbe potuto facilmente toglierla al rivale, cosí arrendevole e poco combattivo.

Ma s'incontra con Pamela che gli dice: — Visconte, ho deciso che se voi ci state,[4] ci sposiamo.

— Tu e chi? — fa il visconte.

— Io e voi, e verrò al castello e sarò la viscontessa.

Il Gramo questa non se l'aspettava, e pensò: «Allora è inutile montare[5] tutta la commedia di farla sposare all'altra mia metà: me la sposo io e tutto è fatto».

Cosí, disse: — Ci sto.

E Pamela: — Mettetevi d'accordo con mio babbo.

Di lí a un po', Pamela incontrò il Buono sul suo mulo.

— Medardo, — disse lei, — ho capito che sono proprio innamorata di te e se vuoi farmi felice devi chiedere la mia mano di sposa.

---

[4] *se voi ci state*   if you agree
[5] *montare*   to put together

Il poverino, che per il bene di lei aveva fatto quella gran rinuncia, rimase a bocca aperta. «Ma se è felice a sposare me, non posso piú farla sposare all'altro», pensò, e disse: — Cara, corro a predisporre tutto per la cerimonia.

Tutta Terralba fu sossopra,[6] quando si seppe che Pamela si sposava. Chi diceva che sposava l'uno, chi diceva l'altro.[7] I genitori di lei pareva facessero apposta per imbrogliar le idee. Certo, al castello stavano lustrando e ornando tutto come per una gran festa. E il visconte s'era fatto fare un abito di velluto nero con un grande sbuffo alla manica e un altro alla braca. Ma anche il vagabondo aveva fatto strigliare il povero mulo e s'era fatto rattoppare il gomito e il ginocchio. A ogni buon conto,[8] in chiesa lucidarono tutti i candelieri.

Pamela disse che non avrebbe lasciato il bosco che al momento del corteo nuziale. Io facevo le commissioni[9] per il corredo. Si cucí un vestito bianco con il velo e lo strascico lunghissimo e si fece corona e cintura di spighe di lavanda. Poiché di velo le avanzava ancora qualche metro,[10] fece una veste da sposa per la capra e una veste da sposa anche per l'anatra, e corse cosí per il bosco, seguita dalle bestie, finché il velo non si strappò tutto tra i rami, e lo strascico non raccolse tutti gli aghi di pino e i ricci di castagne che seccavano per i sentieri.

Ma la notte prima del matrimonio era pensierosa e un po' spaurita. Seduta in cima a una collinetta[11] senz'alberi, con lo strascico avvolto attorno ai piedi, la coroncina di lavanda di sghimbescio,[12] poggiava il mento su una mano e guardava i boschi intorno sospirando.

---

[6] *sossopra* shortened form of *sottosopra* topsy-turvy

[7] *Chi diceva che . . . l'altro.* Some said she was marrying the one, some said the other.

[8] *A ogni buon conto* In any case

[9] *Io facevo le commissioni* I did the shopping

[10] *Poiché . . . metro* Since she still had a few meters of veil left over

[11] *in cima a una collinetta* on the crest of a little hill

[12] *di sghimbescio* askew

Io ero sempre con lei perché dovevo fare da paggetto,[13] insieme a Esaú che però non si faceva mai vedere.

— Chi sposerai, Pamela? — le chiesi.

— Non so, — lei disse, — non so proprio che succederà. Andrà bene? Andrà male?

Dai boschi si levava ora una specie di grido gutturale, ora un sospiro. Erano i due pretendenti dimezzati, che in preda all'eccitazione della vigilia vagavano per anfratti e dirupi del bosco, avvolti nei neri mantelli, l'uno sul suo magro cavallo, l'altro sul suo mulo spelacchiato, e mugghiavano e sospiravano tutti presi nelle loro ansiose fantasticherie. E il cavallo saltava per balze e frane, il mulo s'arrampicava per pendii e versanti, senza che mai i due cavalieri s'incontrassero.

Finché, all'alba, il cavallo spinto al galoppo non si azzoppò giú per un burrone; e il Gramo non poté arrivare in tempo alle nozze. Il mulo invece andava piano e sano,[14] e il Buono arrivò puntuale in chiesa, proprio mentre giungeva la sposa con lo strascico sorretto da me e da Esaú che si faceva trascinare.

A veder arrivare come sposo soltanto il Buono che s'appoggiava alla sua stampella, la folla rimase un po' delusa. Ma il matrimonio fu regolarmente celebrato, gli sposi dissero sí e si scambiarono l'anello, e il prete disse: — Medardo di Terralba e Pamela Marcolfi, io vi congiungo in matrimonio.

In quella dal fondo della navata, sorreggendosi alla gruccia, entrò il visconte, con l'abito nuovo di velluto a sbuffi zuppo d'acqua e lacero. E disse: — Medardo di Terralba sono io e Pamela è mia moglie.

Il Buono arrancò di fronte a lui. — No, il Medardo che ha sposato Pamela sono io.

Il Gramo buttò via la stampella e mise la mano alla spada. Al Buono non restava che fare altrettanto.

— In guardia![15]

---

[13] *dovevo fare da paggetto* I had to act as page
[14] *piano e sano* slowly but surely
[15] *In guardia!* On guard!

Il Gramo si lanciò in un a-fondo,[16] il Buono si chiuse in difesa, ma erano già rotolati per terra tutti e due.

Convennero che era impossibile battersi tenendosi in equilibrio su una gamba sola. Bisognava rimandare il duello per poterlo preparare meglio.

— E io sapete cosa faccio? — disse Pamela, — me ne torno al bosco —. E prese la corsa via dalla chiesa, senza più paggetti che le reggessero lo strascico. Sul ponte trovò la capra e l'anatra che la stavano aspettando e s'affiancarono a lei trotterellando.

Il duello fu fissato per l'indomani all'alba al Prato delle Monache. Mastro Pietrochiodo inventò una specie di gamba di compasso, che fissata alla cintura dei dimezzati permetteva loro di star ritti e di spostarsi e pure d'inclinare la persona avanti e indietro, tenendo infissa la punta nel terreno per star fermi. Il lebbroso Galateo, che da sano era stato un gentiluomo, fece da giudice d'armi; i padrini del Gramo furono il padre di Pamela e il capo-sbirro; i padrini del Buono due ugonotti. Il dottor Trelawney assicurò l'assistenza, e venne con una balla di bende e una damigiana di balsamo, come avesse da curare una battaglia. Buon per me, che dovendo aiutarlo a portar tutta quella roba potei assistere allo scontro.

C'era l'alba verdastra; sul prato i due sottili duellanti neri erano fermi con le spade sull'attenti. Il lebbroso soffiò il corno: era il segnale; il cielo vibrò come una membrana tesa, i ghiri nelle tane affondarono le unghie nel terriccio, le gazze senza togliere il capo di sotto l'ala si strapparono una penna dall'ascella facendosi dolore, e la bocca del lombrico mangiò la propria coda, e la vipera si punse coi suoi denti, e la vespa si ruppe l'aculeo sulla pietra, e ogni cosa si voltava contro se stessa, la brina delle pozze ghiacciava, licheni diventavano pietra e le pietre lichene, la foglia secca diventava terra, e la gomma spessa e dura uccideva senza scampo gli alberi. Cosí l'uomo s'avventava contro di sé, con entrambe le mani armate d'una spada.

[16] *un a-fondo* a full lunge

Ancora una volta Pietrochiodo aveva lavorato da maestro: i compassi disegnavano cerchi sul prato e gli schermidori si lanciavano in assalti scattanti e legnosi, in parate e in finte.[17] Ma non si toccavano. In ogni a-fondo, la punta della spada pareva dirigersi sicura verso il mantello svolazzante dell'avversario, ognuno sembrava s'ostinasse a tirare dalla parte in cui non c'era nulla, cioè dalla parte dove avrebbe dovuto esser lui stesso. Certo, se invece di mezzi duellanti fossero stati duellanti interi, si sarebbero feriti chissà quante volte. Il Gramo si batteva con rabbiosa ferocia, eppure non riusciva mai a portare i suoi attacchi dove davvero era il suo nemico; il Buono aveva la corretta maestria dei mancini, ma non faceva che crivellare il mantello del visconte.

A un certo punto si trovarono elsa contro elsa:[18] le punte di compasso erano infitte nel suolo come erpici. Il Gramo si liberò di scatto[19] e già stava perdendo l'equilibrio e rotolando al suolo, quando riuscí a menare un terribile fendente, non proprio addosso all'avversario, ma quasi: un fendente parallelo alla linea che interrompeva il corpo del Buono, e tanto vicino a essa che non si capí subito se era piú in qua o piú in là. Ma presto vedemmo il corpo sotto il mantello imporporarsi di sangue dalla testa all'attaccatura della gamba e non ci furono piú dubbi. Il Buono s'accasciò, ma cadendo, in un'ultima movenza ampia e quasi pietosa, abbatté la spada anch'egli vicinissimo al rivale, dalla testa all'addome, tra il punto in cui il corpo del Gramo non c'era e il punto in cui prendeva a esserci. Anche il corpo del Gramo ora buttava sangue per tutta l'enorme antica spaccatura: i fendenti dell'uno e dell'altro avevano rotto di nuovo tutte le vene e riaperto la ferita che li aveva divisi, nelle sue due facce. Ora giacevano riversi, e i sangui che già erano stati uno solo ritornavano a mescolarsi per il prato.

Tutto preso da quest'orrenda vista non avevo badato a Trelawney, quando m'accorsi che il dottore stava spiccando salti di gioia con

---

[17] *gli schermidori . . . finte*   the fencers hurled themselves in explosive, hard attacks, in parries and feints
[18] *elsa contro elsa*   hilt to hilt
[19] *di scatto*   suddenly

le sue gambe da grillo, battendo le mani e gridando: — È salvo!
È salvo! Lasciate fare a me.

Dopo mezz'ora riportammo in barella al castello un unico ferito.
Il Gramo e il Buono erano bendati strettamente assieme; il dottore
aveva avuto cura di far combaciare [20] tutti i visceri e le arterie
dell'una parte e dell'altra, e poi con un chilometro di bende li
aveva legati cosí stretti che sembrava, piú che un ferito, un antico
morto imbalsamato.

Mio zio fu vegliato giorni e notti tra la morte e la vita. Un
mattino, guardando quel viso che una linea rossa attraversava dalla
fronte al mento, continuando poi giú per il collo, fu la balia
Sebastiana a dire: — Ecco, s'è mosso.

Un sussulto di lineamenti stava infatti percorrendo il volto di
mio zio, e il dottore pianse di gioia al vedere che si trasmetteva
da una guancia all'altra.

Alla fine Medardo schiuse gli occhi, le labbra; dapprincipio la
sua espressione era stravolta: aveva un occhio aggrottato e l'altro
supplice, la fronte qua corrugata là serena, la bocca sorrideva da
un angolo e dall'altro digrignava i denti. Poi a poco a poco ritornò
simmetrico.

Il dottor Trelawney disse: — Ora è guarito.

Ed esclamò Pamela: — Finalmente avrò uno sposo con tutti gli
attributi.

Cosí mio zio Medardo ritornò uomo intero, né cattivo né buono,
un miscuglio di cattiveria e bontà, cioè apparentemente non dissimile da quello ch'era prima di esser dimezzato. Ma aveva
l'esperienza dell'una e l'altra metà rifuse insieme, perciò doveva
essere ben saggio. Ebbe vita felice, molti figli e un giusto governo.
Anche la nostra vita mutò in meglio. Forse ci s'aspettava che,
tornato intero il visconte, s'aprisse un'epoca di felicità meravigliosa;
ma è chiaro che non basta un visconte completo perché diventi
completo tutto il mondo.

[20] *il dottore . . . combaciare*   the doctor had taken care to fit together

Intanto Pietrochiodo non costruí piú forche ma mulini; e
Trelawney trascurò i fuochi fatui per i morbilli e le risipole. Io
invece, in mezzo a tanto fervore d'interezza, mi sentivo sempre piú
triste e manchevole. Alle volte uno si crede incompleto ed è
soltanto giovane.

Ero giunto sulle soglie dell'adolescenza e ancora mi nascondevo
tra le radici dei grandi alberi del bosco a raccontarmi storie. Un
ago di pino poteva rappresentare per me un cavaliere, o una dama,
o un buffone; io lo facevo muovere dinanzi ai miei occhi e
m'esaltavo in racconti interminabili. Poi mi prendeva la vergogna
di queste fantasticherie e scappavo.

E venne il giorno in cui anche il dottor Trelawney m'abbandonò.
Un mattino nel nostro golfo entrò una flotta di navi impavesate,
che battevano bandiera inglese, e si mise alla rada.[21] Tutta Terralba
venne sulla riva a vederle, tranne io che non lo sapevo. Ai parapetti delle murate e sulle alberature [22] c'era pieno di marinai che
mostravano ananassi e testuggini e srotolavano cartigli su cui erano
scritte delle massime latine e inglesi. Sul cassero, in mezzo agli
ufficiali in tricorno e parrucca, il capitano Cook fissava con il
cannocchiale la riva e appena scorse il dottor Trelawney diede
ordine che gli trasmettessero con le bandiere il messaggio: «Venga
a bordo subito, dottore, dobbiamo continuare quel tresette.».

Il dottore salutò tutti a Terralba e ci lasciò. I marinai intonarono
un inno: «Oh, Australia!» e il dottore fu issato a bordo a cavalcioni
d'una botte di vino «cancarone». Poi le navi levarono le ancore.

Io non avevo visto nulla. Ero nascosto nel bosco a raccontarmi
storie. Lo seppi troppo tardi e presi a correre verso la marina,
gridando: — Dottore! Dottor Trelawney! Mi prenda con sé! Non
può lasciarmi qui, dottore!

Ma già le navi stavano scomparendo all'orizzonte e io rimasi qui,
in questo nostro mondo pieno di responsabilità e di fuochi fatui.

---

[21] *si mise alla rada*   put in at the harbor
[22] *Ai parapetti . . . alberature*   Along the parapets on the ship's side
and on the masts

DOMANDE

Capitolo I

1. Chi era Curzio?
2. Perchè Medardo si era arruolato nelle truppe dell'imperatore?
3. Come mai le cicogne, i fenicotteri e le gru avevano sostituito i corvi e gli avvoltoi?
4. Cosa fecero famiglie intere per sfuggire alla peste? Dove finirono?
5. A che personaggi della letteratura somigliano Curzio e Medardo?
6. Che successe ai cavalli?
7. Perchè ogni tanto c'era un dito che indicava la strada?
8. Che cosa voleva la sentinella?
9. Come facevano cuocere la cena gli artiglieri?
10. Che facevano i dottori? e gli ufficiali?
11. Perchè i soldati tenevano l'elmo in testa anche durante l'ora del pediluvio?
12. Com'era il padiglione dell'imperatore?
13. Cosa facevano l'imperatore e i marescialli?
14. Che grado conferì a Medardo l'imperatore?
15. Come si sentiva Medardo quella notte?

Capitolo II

1. Chi era al fianco di Medardo l'indomani sul campo di battaglia? Come mai?
2. Perchè non voleva che Medardo guardasse indietro?
3. Com'erano i primi turchi che Medardo vide? A chi somigliavano?
4. Quali erano i turchi più dannosi? Perchè?
5. Cosa successe a Curzio?
6. Come ci si doveva avvicinare ai cannoni? Lo sapeva Medardo?
7. Durante la tregua che cosa andarono a fare i due carri?
8. Dove furono messi i resti di Medardo? Perchè?

9. Quando un paziente moriva che facevano i dottori?
10. Com'era il corpo di Medardo? Perchè ne erano contenti i medici?
11. Nel frattempo che successe agli altri soldati?
12. Come mai Medardo non morì?
13. Quali sono i lati ironici di questo capitolo?

Capitolo III

1. Chi è il narratore?
2. In che stagione ritornò Medardo? Cosa facevano allora gli abitanti di Terralba?
3. Erano impazienti che tornasse Medardo?
4. Perchè il padre di Medardo non c'era nella corte del castello?
5. Dove si era rinchiuso? Come viveva?
6. Chi tentò di avvicinarsi a Medardo? Come reagì lui?
7. Com'era vestito?
8. Chi lo fermò al portone? Perchè? Che cosa fece Medardo?
9. Che rumori si sentivano dall'interno del castello? Perchè?
10. Cosa fecero l'indomani Sebastiana e il visconte Aiolfo?
11. Come reagì Medardo al regalo del padre? Perchè?
12. Perchè i famigli non potevano raggiungere Aiolfo per curarlo?
13. Dove si misero gli uccelli quando morì Aiolfo?
14. Che cosa rappresenta il visconte Aiolfo? e la balia Sebastiana?

Capitolo IV

1. Come i servi si spiegarono il fatto che le pere erano state tagliate?
2. Quali funghi videro galleggiare nello stagno? Dove andarono a finire gli altri?
3. Il visconte cosa voleva che facesse suo nipote con i funghi?
4. Come veniva considerato il bracconaggio a Terralba?
5. Perchè Medardo doveva giudicare i briganti?
6. Cosa aveva fatto Fiorfiero con la sua banda?

7. Perchè c'era tanto brigantaggio nei dintorni di Terralba?
8. Perchè le apprensioni di Sebastiana erano ben fondate?
9. Come mai anche gli sbirri ricevettero la pena di morte?
10. Com'era la forca? Chi lo costrusse?
11. Che ne fece Medardo? Come reagì la gente?
12. Perchè l'autore si serve d'un bambino come narratore?

Capitolo V

1. Da dove veniva il dottor Trelawney? Lo descriva.
2. Perchè non aveva mai visto nulla durante i suoi viaggi?
3. Cosa portava sempre a tracolla?
4. Quali erano i suoi interessi scientifici?
5. Dov'era andato ad abitare?
6. Perchè il narratore aveva tanto tempo da passare col dottore?
7. Che cosa successe una volta ai due quando furono scoperti nel cimitero di notte?
8. Come finirono gli inseguitori? Perchè?
9. In che modo Medardo aveva risolto il problema di andare a cavallo?
10. Che cosa fece il visconte per aiutare Trelawney nei suoi studi?
11. Quali domande si faceva Pietrochiodo? Come risolse il suo problema?
12. Chi era Galateo?
13. Dove abitavano i lebbrosi? Avevano il loro medico? Perchè?
14. Da chi furono causati gli incendi? e perchè? Come reagirono gli ugonotti? e i lebbrosi?
15. Perchè Sebastiana fu mandata a Pratofungo?
16. Descriva la vita degli ugonotti. Com'erano il capo e sua moglie?
17. Dove portò il narratore Esaú? Che cosa fecero?
18. Chi arrivò durante la bufera? Quali soprannomi gli aveva dato la gente del paese?
19. Perchè voleva farsi convertire?
20. Che cosa aveva fatto Esaú mentre l'ospite stava in casa?
21. Che cosa andarono a pescare il narratore e Medardo?
22. Perchè Medardo voleva che tutto fosse dimezzato?

Capitolo VI

1. Come capì Pamela che Medardo s'era innamorato di lei?
2. Com'era il casolare di Pamela?
3. Che messaggio trovò sulla pietra dove usava sedersi?
4. Perchè non voleva andare al castello?
5. Che cosa significava l'amore per Medardo?
6. Dove dormiva Pamela? Perchè?
7. Pamela che cosa disse ai genitori di fare se Medardo fosse venuto a parlare loro?
8. Di che cosa voleva parlare ai vecchietti Medardo?
9. Dove trovò i genitori Pamela quando rincasò?
10. Che cosa fecero l'indomani i genitori?
11. Come riuscì a liberarsi Pamela?
12. Dove andò a vivere? Chi le teneva compagnia?

Capitolo VII

1. Perchè il ragazzo voleva andare a Pratofungo?
2. Dove incontrò i lebbrosi? Che cosa facevano?
3. Descriva la vita a Pratofungo.
4. Come mai Sebastiana non aveva preso la lebbra?
5. Cosa successe l'indomani quando il narratore andò a pescare anguille?
6. In che modo Medardo sembrava cambiato?
7. Il ragazzo che cosa trovò infilato all'amo? Come lo spiegò Medardo?
8. Perchè il ragazzo corse dalla balia? Che cosa gli diede?
9. Tornato al torrente, cosa gli successe?
10. Perchè Trelawney cadde nel laghetto? Come venne salvato?
11. Che notizie cominciarono a giungere a Terralba?
12. Come furono curate le rondini?
13. Dove andò Pamela durante il temporale? Come venne a sapere l'identità delle due metà di Medardo?

14. Chi aveva trovato la buona metà dopo la battaglia? Che cosa ne fecero?
15. Perchè la buona metà dice che ci sono vantaggi nell'essere dimezzati?

Capitolo VIII

1. Trelawney come aveva subito l'influenza del ritorno del Buono?
2. Come sapeva Trelawney a quali case doveva andare?
3. In che modo anche Pamela poteva fare delle buone azioni?
4. Cosa faceva il Buono mentre asciugavano i panni?
5. Perchè il Gramo non riuscì nel suo tentativo di ucciderlo?
6. Che cosa speravano gli ugonotti quando videro arrivare il Buono?
7. Come arrivò a Col Gerbido? Che accoglienza gli fecero gli ugonotti?
8. Come mai cambiarono idea su di lui?
9. Cosa successe a Esaú quando cercò di levare la biada al mulo?
10. Che giudizio diede la moglie di Ezechiele dopo la partenza del Buono? Perchè?

Capitolo IX

1. Che tipo di macchina voleva far costruire il Buono da Pietrochiodo?
2. Perchè questi non riusciva ad accontentarlo?
3. A chi si può paragonare Pietrochiodo nel mondo contemporaneo?
4. Perchè gli sbirri andarono dal Buono? Come reagì lui?
5. Come andò a finire la storia della congiura?
6. La balia come trattava il Buono quando andava a trovarla?
7. Di che malfatti l'accusò?
8. Chi era Isidoro? Perchè Sebastiana parlò di lui a Medardo?
9. Che cosa s'era proposto di fare per i lebbrosi Medardo? Gliene erano riconoscenti?

10. Perchè la gente a Terralba disse che delle due metà era peggio la buona della grama?
11. Che cosa sta dicendo l'autore per mezzo di questo paragone?
12. Che fecero gli ugonotti per proteggersi da lui?

Capitolo X

1. Quale decisione presero tutt'e due le metà?
2. Il Gramo come riuscì a parlare alla madre di Pamela? e il Buono al padre?
3. Che cosa combinò Pamela dopo aver parlato ai genitori?
4. Terralba come si preparava per il matrimonio?
5. Dove passarono la vigilia il Buono e il Gramo?
6. Cosa successe al Gramo l'indomani? Quando arrivò alla chiesa?
7. Perchè bisognava rimandare il duello? Chi vinse?
8. Come furono riportati entrambi al castello?
9. Pamela fu contenta del risultato? Perchè?
10. Il nuovo Medardo era diverso da quello di prima?
11. Ci furono cambiamenti nella vita del paese?
12. Perchè Trelawney lasciò Terralba?
13. Quali sono gli elementi favolosi in questo romanzo?
14. Quali sono gli elementi realistici?
15. Che ruolo assume la storia nel romanzo?
16. Che cosa si può dire delle idee di Calvino a proposito dei rapporti tra il bene e il male?
17. Chi sono i personaggi più importanti? Perchè?
18. Questo romanzo ai quadri di quale pittore europeo fa pensare?
19. Questo si potrebbe definire un romanzo gotico? Perchè?
20. Dia la Sua interpretazione della doppia natura del protagonista.

VOCABULARY

abbandonare   to abandon

abbassare   to lower

abbattere   to pull down

abboccare   to bite

abbondare   to abound, have plenty

abbottonare   to button (up)

abbracciare   to embrace; adopt

abbruciacchiare   to scorch, singe

abilità   ability, skill

abisso   abyss, chasm

abitazione f.   dwelling, residence

abito   suit

abituale   usual, customary

abitudine f.   habit, custom

accampamento   encampment, camp

accanimento   rage

accanirsi   to persist, concentrate doggedly

accarezzare   to stroke, caress

accasciarsi   to lose one's strength

accendere   to light; accendersi to light up

accennare   to outline

accesso   fit, outburst

accetta   hatchet

acchiappare   to catch

accoglienza   welcome, reception

accogliere   to receive, welcome

accomiatarsi   to take one's leave, say good-bye

accorato   sad, sorrowful

accordo   agreement; d' — in agreement, agreed

accorgersi   to notice, perceive

accosciarsi   to squat (down)

accostarsi   to go near, draw near, approach

accusato n.   prisoner, defendant, accused

acerbo   green, unripe

aceto   vinegar

aculeo   stinger

acuto   sharp, acute

adatto   suitable, fit

addestrare   to train

addolorare   to grieve, trouble

addome m.   abdomen

addormentarsi   to go to sleep, fall asleep

addosso   on, upon

aderire   to adhere, stick

adolescenza   adolescence

adorno   adorned

adultero   adulterous

adunco   hooked

affacciarsi   to show oneself, lean out

affannato   out of breath

affare m.   business

affatto   at all

afferrare   to seize, catch;
   afferrarsi   to get hold of, grab,
   grasp
affiancarsi   to march (walk) side
   by side
affibbiare   to buckle
affidarsi   to trust, rely on
affondare   to sink, plunge
agarico   agaric (*genus of*
   mushroom)
agganciare   to hook, clasp
aggirare   to surround;
   aggirarsi   to wander, roam
aggiungere   to add; join
aggiustare   to arrange; settle
aggrottare   to contract in
   wrinkles; frown
aggrovigliarsi   to get entangled
aggrupparsi   to assemble
agio   ease
agire   to act
agitare   to shake; agitarsi   to
   toss (about)
ago   needle
agonia   agony; death-struggle
agricoltura   agriculture, farming
ahimè   alas!
aia   threshing-floor
aiola   flower-bed
aiutare   to help, assist
aiuto   help, assistance, aid
aizzare   to incite; aizzarle
   contro le api   to set the bees
   loose on you
ala   wing
alba   dawn, daybreak
albeggiare   to dawn

alberatura   masts
alimentare   to feed, nourish
allagare   to flood
allarmare   to alarm
allarme *m.*   alarm
alleggerire   to lighten
allegria   merriment, gaiety
allegro   merry, cheerful
allevare   to raise, breed
alloggio   lodging, quarter
allontanare   to separate, remove;
   allontanarsi   to go away, get
   away
alludere   to allude to
allungare   to stretch out
altalena   swing
altana   belvedere
alternato   alternating
altrettanto   as much, the same
altrui   other people's, of others
alveare *m.*   beehive
alzare   to raise, lift; alzarsi
   to rise, get up
alzata   rising, lifting up; gust
   (of wind)
amaca   hammock
amante *m.*   lover
amicizia   friendship
ammaestrare   to tame
ammalato   patient, sick person
ammantellarsi   to put on (wrap
   oneself up in) a cloak
ammazzare   to kill, murder
ammicco   wink
amministrazione *f.*   administration
ammirazione *f.*   admiration

amo   fish-hook
ampiezza   breadth, width
ampio   wide
ampolla   flask
amputare   to amputate
ananasso   pineapple
anatomia   anatomy
anatra   duck
ancora   anchor
andatura   pace
anello   ring
anfratto   winding path
angolo   corner
angoloso   angular
angoscia   anguish
anguilla   eel
angustiarsi   to be worried
anima   soul, spirit
animo   heart, courage
annegare   to drown
annodare   to bind, knot
annoiarsi   to be bored
annusare   to smell
ansioso   anxious, desirous
anzi   on the contrary, rather
anziano   old, aged
ape *f.*   bee
apparentemente   apparently,
  seemingly
apparire   to appear, seem
apparizione *f.*   apparition
appartenere   to belong
appellativo   appellative
appendere   to hang
appiccicare   to stick
appiedare   to dismount
applicare   to apply, set

appoggiare   to rest, lean;
  appoggiarsi   to lean
apposta   on purpose
apprendere   to learn
apprensione *f.*   apprehension
approfittare   to take advantage
  of
appuntamento   appointment,
  meeting
appunto   exactly, precisely
aquilone *m.*   eagle
arazzo   tapestry
archetto   bow
architettura   architecture
arcigno   sullen
arcobaleno   rainbow
arcuare   to curve, bend
argano   winch
argomento   subject, topic;
  entrare in —   to bring up the
  subject
aria   tune, melody
arma   weapon, arm
armare   to arm
armeggiare   to maneuver
arpa   harp
arrampicarsi   to climb
arrancare   to limp; to hobble
arrecare   to cause
arrendevole   yielding, compliant
arrestare   to arrest;   arrestarsi
  to stop
arricciare   to curl (up)
arrivo   arrival
arrossire   to blush
arroventare   to make red-hot
arruolato (arrolato) *p.p. of*
  arrolare   to enlist

arte *f.* art
artigliere *m.* artillery man
arteria artery
arto limb
ascella armpit
asciugare to dry
asilo refuge, shelter
asino donkey, ass
asma asthma
aspettarsi to expect
asprezza harshness
aspro harsh, sharp
assaggio sample
assalire to attack
assalto assault
assentire to assent (to)
assicurare to assure;
   assicurarsi to fasten oneself
assieme together
assistenza assistance, aid
assistere to be present
assorto absorbed
asta staff, pole
astenersi to abstain from, refrain from
astio resentment, hatred
astronomo astronomer
atroce atrocious
attaccamento attachment
attaccare to attack; begin
attaccatura junction, joint
attacco attack
attendamento camp
attendere to await
attentare to attempt
attentato attempt; attempted murder

attento attentive
attesa, in awaiting
attingere to draw (water)
attirare to attract, draw
attività activity
atto act, deed
attorno (a)round, about; **d'** — around
attraente attractive
attrarre to attract, draw
attraversare to cross
attraverso across; through
attrezzo implement, tool
attributo attribute
attuale present, current
augurare to wish
aurora dawn
autoritario authoritarian
avanti forward, ahead; — **e indietro** back and forth
avanzare to advance, put forward
averla shrike
avidità eagerness, avidity
avvedersi to notice, perceive
avvelenare to poison
avvenimento event
avvenire to happen
avventarsi to rush (upon)
avversario adversary
avversione *f.* aversion, dislike
avvertire to warn
avviarsi to set out
avvicinarsi to approach, draw near
avvistare to sight
avvolgersi to wrap oneself up
avvoltoio vulture

azione *f.* action
azzardarsi to venture, dare
azzopparsi to become lame

babbo dad, father
baciare to kiss
badare to pay attention
baffo moustache
baffuto moustached
bagnare to wet, moisten; bathe
balbettare to stammer, stutter
baldacchino canopy
baldoria merrymaking; far —
to make merry
balestra crossbow
balia nurse
balla bale
balsamo balm
balza cliff, crag
balzare to spring, jump, leap
balzello heavy tax
balzo leap, bound
banda gang, band
bandiera flag
barare to cheat
barba beard; — caprina
goatee
barbuto bearded
bardare to harness; dress up
barella stretcher
barilotto keg, small barrel
bastaio saddle-maker
bastardato degenerate(d)
bastardo bastard
bastare to suffice, be enough
basto pack-saddle
bastonare to beat

bastone *m.* stick, club
battaglia battle
battente *m.* portal
battere to beat, hit, strike; —
bandiera inglese to fly an
English flag; — i denti to
have one's teeth chatter; —
le mani to clap hands, ap-
plaud; battersi to fight
batteria battery
beato happy, blessed
beccata peck
becchime *m.* birdseed
becchino gravedigger
bellezza beauty
benchè although
benda bandage
bendare to bandage
benedetto holy, blessed
benevolo kind, benevolent
beni *m. pl.* property
bensì but
bentornato welcome back, welcome home
benvenuto welcome
benvoluto liked, loved, beloved
bestemmia curse
bestemmiare to swear, curse
bestia beast, animal
bestiolina little animal
bevitore *m.* (heavy) drinker
biada oats, fodder
biancospino hawthorn
Bibbia Bible
bicocca hut
bidente *m.* pitchfork
bimbo little child
bisbigliare to whisper

bizzarro bizarre
boato roar, rumbling
bocca mouth
boccata mouthful
Boemia Bohemia
boemo Bohemian
boleto cep (*variety of* mushroom)
bolide *m.* fireball
bollente boiling
bontà goodness
borchia disk, ornamental button
bordo, a on board
bordò Bordeaux (wine)
borraccia flask
borsa purse
boscaiolo woodcutter
bosco wood, forest
botte *f.* cask, barrel
bottega (work)shop
braca leg of a pair of breeches
bracconaggio poaching
bracconiere *m.* poacher
branco flock, herd
brandire to brandish
brano shred
breccia breech, gap
briccone *m.* rogue, knave
briciolo fragment, tiny piece
brigantaggio brigandage, robbery
brigante *m.* bandit, brigand
brigantesco brigandish
brillìo sparkling, glittering
brina hoarfrost
broccato brocade
bronzo bronze
brucare to browse

bruciare to burn
bruco caterpillar
brullo barren
bruno brown
brusco brusque
bruttare to soil
bubbone *m.* bubo
buco hole
budella *pl.* entrails; guts
bufera storm
buffone *m.* buffoon, clown
buio dark
burattino puppet
burrone *m.* ravine
bussare to knock
buttare to throw

caccia hunting
cacciare to hunt
cacciatore *m.* hunter
cadavere *m.* corpse
cadere to fall
cagarella diarrhea
calabrone *m.* hornet
calcagno heel
calcinoso calcareous, limy
calcio kick
caloroso warm
calza stocking
cambiare to change
cambio change
campanellino tiny bell
campare to live
campo field; —di battaglia battlefield
camposanto cemetery
cancello gate

candeliere *m.* candlestick

canna reed

cannocchiale *m.* spyglass, telescope

cannonata cannon shot

cannone *m.* cannon

cantare to sing

canto song, singing

canzonare to tease, make fun of

canzonatorio teasing

capanna hut; **capannuccia** tiny hut

capitano captain

capitare to arrive, happen

capo head; **venire a —** to get through

capolavoro masterpiece

caposbirro police chief

cappello hat

cappotto overcoat

cappuccio cowl

capra goat

carattere *m.* temper, disposition

carbonizzare to carbonize

carcassa carcass

carestia famine

carezza caress

carezzare to caress

caricare to load

carico burden, load; *adj.* loaded

carità charity; pity

caritatevole charitable

carne *f.* meat

carogna carrion

carpentiere *m.* carpenter

carponi crawling, on all fours

carriera career

carriola wheelbarrow

carro cart, wagon

carrucola pulley

carta geografica map

cartiglio scroll

casalingo domestic

cascare to fall

casetta cottage, little house

caso case; **per —** by chance

casolare *m.* poor cottage, hovel

cassero quarter-deck

castagna chestnut

castello castle

categoria category, class

catrame *m.* tar

cattiveria wickedness

cattolico Catholic

catturare to capture, seize

cavalcare to ride (on horse-back)

cavalcatura horse, mount

cavalcioni: a — astride

cavaliere *m.* knight

cavalleria cavalry

cavalletto stand; instrument of torture

cavallo horse

cavare to excavate, dig out

cavità cavity, hollow

cavo hollow

cece *m.* chick-pea

cedere to give way, yield

celebrare to celebrate, solemnize

centro center

cera wax

cerca search, quest

cercatore *m.* seeker, hunter

cerchia circle

cerchio ring, circle
cerimonia ceremony
cerimonioso ceremonious
certezza certainty
certuni *pl.* some, some people
cervello brain
cespuglio bush
cestino small basket
cesto basket
chiarore *m.* light
chiave *f.* key
chiesa church
china downward slope, descent
chilometro kilometer
chino bent, bowed
chiodare to rivet; la suola
 chiodata cleated (nailed)
 sole (of a shoe)
chiosco kiosk
chiostra di denti ridge of teeth
chissà who knows
chiunque whoever, whomsoever
chiuso, al (shut up) indoors
ciascuno each, each one, everyone
cibo food
cicatrice *f.* scar
ciccioso plump
cicogna stork
cicoria chicory
ciglio eyelash; edge
cima summit, top; in — a at
 the top, on (the) top
cimice *f.* bedbug
cimitero cemetery
cincia titmouse
cinghia strap
cinto belt; truss

cintola belt
cintura waist
ciottolo pebble
circondare to surround, encircle
clemente clement, mild
cocciuto stubborn, obstinate
coda tail
cogliere to catch, seize; hit
cognizione *f.* cognizance
colle *m.* hill
collegamento connection
collinetta hillock
collo neck
colloquio conversation
coloro they; them; those
colpevole guilty
colpire to strike, hit
colpo blow, stroke
coltello knife
coltivare to till, cultivate
comandamento commandment
comando command, order
combaciare to fit together
 exactly
combattimento battle, fighting,
 combat
combattivo pugnacious, inclined
 to fighting
combinare arrange
commedia comedy, play
commercio business, trade
commettere to commit
commissione *f.* errand,
 commission
commuovere to move, affect;
 commuoversi to be moved,
 touched, affected
comò chest of drawers

compaesano   fellow villager

compagnia   company

compagno   companion; — di partita   partner at cards

comparire   to appear

compasso   compasses

compatire   to pity, sympathize

compenso   compensation

compiacere   to please

compiangere   to pity

compiere   to perform, accomplish

compiuto   completed, perfected; adult, mature

complimento   compliment

compromettere   to compromise

computo   computation

comune   common

comunicazione f.   communication

concertino   short concert

concimare   to spread fertilizer

condannare   to condemn

condividere   to share

confidenza   familiarity; confidence

confondersi   to become confused; to mingle

conforto   comfort; solace

confrontare   to compare

confusione f.   confusion

confuso   confused

congegnare   to contrive, devise

congiungere   to join

congiuntura   juncture; seam

congiura   conspiracy, plot

congiurato   conspirator

coniglio   rabbit

consegnare   to hand over, deliver

conservare   to preserve, keep

considerare   to consider

consiglio   advice

consistere   to consist (of)

consolare   to console, comfort

consorzio   society

consueto   usual, customary

contagio   contagion, infection

contemplare   to contemplate; look at

contendere   to contend, dispute

contenere   to contain, hold

contentare   to satisfy

continuare   to continue

conto   account; far — di   to take into account; to count

contorcere   to contort, twist, distort

contrada   region, district

contrappeso   counterweight

contrapporre   to oppose, contrast

contrapposizione f.   opposition, antithesis

contrariato   annoyed

contrario   contrary, opposite

contrastato   contested; ambiguous

contratto   wrinkled, contracted

controluce   against the light

controversia   controversy

convalescente m. or f.   convalescent

convenienza   convenience, opportuneness

convenire   to be convenient, suitable; meet, convene
convertirsi   to be converted
convincere   to convince
convulso   jerky
coperto   covered; **il cielo era —** the sky was overcast
cor*a*ggio   courage; **farsi —** to take courage
coratella   insides, offal
corda   rope
coricarsi   to lie down, go to bed
corimbo   corymb
cornata   butt, thrust with the horns
cornice *f.*   frame
cornicione *m.*   cornice
corno   horn
corona   crown
coroncina   garland
corpo   body
corredo   trousseau
c*o*rrere   to run
corretto   correct, proper
corrid*o*io   passage, corridor
corrisp*o*ndere   to correspond; pay
corrugato   wrinkled
corsa   race
corte *f.*   courtyard
cort*e*ccia   bark
corteo   procession, train
cortesia   courtesy, politeness, kindness
cortigiana   courtesan, prostitute
corvo   crow
c*o*scia   thigh
coscienza   conscience

cosicchè   so that
cosparso   spread, strewn
costa   coast
costernazione *f.*   consternation, dismay
c*o*stola   rib
costretto   compelled, forced
costui   that man, that fellow
costume *m.*   custom
cotto   cooked
covare   to brood over
covo   den, haunt
cr*a*nio   skull
creatura   creature
crescente   growing, increasing
cr*e*scere   to grow
crescione *m.*   watercress
cresta   tuft; comb
cristianità   Christendom; Christianity
cristiano   Christian
crivellare   to stab through and through
croc*i*cchio   crossroad
crogiuolo   crucible
cr*u*ccio   worry
crudele   cruel
crudeltà   cruelty
cucire   to sew
cucitura   seam; sewing, stitching
c*u*ffia   cap
culatta   breech (of a cannon)
culto   worship
cu*o*cere   to cook
cu*o*io   leather
cuore *m.*   heart
cupo   gloomy, sullen

cura care; cure; aver — to take care

curare to take care of; curarsi to take care of; pay attention to

curia the Papal court

curiosità curiosity

cuscinetto puntaspilli pincushion

dado die

dài go on!

dama lady

danno harm, damage, injury

dannoso harmful, injurious

danza dance

dapprima at first

dapprincipio at the beginning, to start with

davanzale m. windowsill

davvero really, indeed

decidere to decide, make up one's mind

decifrare to decipher

decina ten, about ten

declamare to declaim

decotto decoction

decretare to decree, order

dedicare to dedicate, devote

dedizione f. devotion; submission

delitto crime

deludere to disappoint

deluso disappointed

denaro money

dente m. tooth

deridere to deride, ridicule

derubare to rob

descrivere to describe

deserto deserted, solitary

desideroso desirous, eager

destare to wake, rouse

destino destiny

deturpare disfigure

diamante m. diamond

diavolo devil

dibattersi to struggle

dichiarare to declare

difatti as a matter of fact

difendere to defend

difesa defense

difettoso defective, faulty, imperfect

differenza difference; a — di unlike

diffidente mistrustful; suspicious

diffuso diffuse, spread

difilato straight

digià already

digiuno fast

digrignare to grind, gnash

dilatare to dilate

diluviare to rain in torrents

dimenticare to forget

dimezzare to halve

dimezzatrice "halving"

dinanzi before

diniego denial, refusal

dio god

dipingere to paint

diretto direct, straight; bound (for)

direzione f. direction

dirigere to direct; dirigersi to go toward, direct one's steps

diritto   straight
dirupo   crag, rocky precipice
disagio   discomfort; a —
uncomfortable
disapprovare   to disapprove
disarmare   to disarm
disastro   disaster
disattento   inattentive
discinto   partially undressed
discorde   discordant
discorrere   to talk, converse
discorso   talk, speech; cambiar
— to change the subject
discosto   far, distant
discutere   to discuss
disegnare   to draw
disegno   design
disfare   to undo, pull down
disgrazia   misfortune
disordinato   disorderly
disperare   to despair;
disperarsi   to be in despair,
deeply grieved
disperato   desperate
disperdere   to disperse, scatter
disperso   dispersed, scattered
disporre   to arrange, place;
disporsi   to get ready
disposizione f.   order, command
disputa   dispute
dissimile   dissimilar, unlike
distante   distant, far
distanza   distance
distinguere   to distinguish
distinto   distinct, distinguished
distruggere   to destroy, ruin
disumano   inhuman
dito   finger

divampare   to burst into flame,
blaze
divelto   torn out
diverso   different
divertirsi   to enjoy oneself, have
a good time
dividere   to divide, separate
divorare   to devour, eat up
dolciastro   sweetish
dolere   to ache
dolorante   aching
dolore m.   pain, ache
donde   whence, from where
dondolare   to swing
dono   gift, offering
doppio   double
dormicchiare   to doze
dorso   back
dotazione f.   endowment;
— dell'esercito   army issue
dovizia   abundance
dovunque   wherever
drappeggiare   to drape
drappeggio   draping
dubbio   doubt
duca m.   duke
duellante m.   dueller
duello   duel
dunque   then
duro   hard

ebbrezza   intoxication,
inebriation
eccesso   excess
eccettuare   to except
eccezionale   exceptional
eccitazione f.   excitement

eco echo
educare to educate
effeminatezza effeminacy
elmo helmet
elsa hilt
eludere to elude, evade
emettere to emit, give out
emissario emissary
empiastro plaster
enfiato swollen
enorme huge, enormous
entrambe, entrambi both
entrata entrance
entro in, within
entusiasta *m.* enthusiast
enumerare to enumerate
epidemia epidemic
episodio episode
epoca epoch, time, period
eppure yet, and yet
equilibrio equilibrium, balance
equino equine
erba grass; herb
eremita *m.* hermit
eretico heretic
eroismo heroism
erpice *m.* harrow
errato wrong
esagerare to exaggerate
esalare to exhale
esaltarsi to become excited
esattezza exactness, precision
esca bait
esclamare to exclaim
esclusivo exclusive
escluso excluding
escremento excrement
esempio example

esercito army
esiguo slender
esile slender, thin
esperienza experience
esperto expert; experienced
esporre to expose
espressione *f.* expression
età age
evasivo evasive
evitare to avoid

faccenda matter, thing
faccia face
fagiano pheasant
fagiolo bean
fagotto bundle
falce *f.* scythe
falciare to mow, cut down
falegnameria carpentry
falla leak
falso false
fama fame
famiglio servant, attendant
familiare *m.* friend; member of
  the household
famoso famous
fanciulla (young) girl
fanciullo (young) boy
fangoso muddy
fantasma phantom, ghost
fantasticheria daydream,
  reverie
fante *m.* foot soldier, infantry-
man
fanteria infantry

fare   to do, make: **a farla breve**   to make a long story short;   **farsi vicino**   to draw near, come close
farfalla   butterfly
farina   flour
farmaco   drug, remedy
fascia   band
fasciare   to bandage
fascina   bundle of sticks, faggot
fastidio   trouble
fasto   splendor, magnificence
fatica   fatigue, labor;   **a —** with difficulty
faticoso   fatiguing, tiring
fatto   fact, deed;   **— sta** the fact (point) is;   **cogliere sul —** to catch in the act
favore *m.*   favor;   **a — di** in favor of
fazzoletto   handkerchief
fede *f.*   faith
fedele   faithful, true
felice   happy
felicità   happiness
femmina   female
fendente *m.*   cutting blow
fendere   to split, cleave
fenicottero   flamingo
fenomeno   phenomenon
ferire   to wound, injure
ferita   wound
ferito   wounded person
ferma   (army) service, period of service
fermare   to stop;   **fermarsi** to stop (oneself)
fermo   still

feroce   ferocious, fierce
fervore *m.*   fervour
festa   holiday, festivity
festone *m.*   festoon
fettina   small slice
fiamma   flame
fiammella   little flame
fiancheggiare   to border
fianco   side;   **di —** sideways, on one side
fiato   breath
fibra   fiber
ficcare   to thrust;   **— il naso (nei loro affari)** to poke one's nose (into their affairs)
fico   fig-tree; fig
fidanzato   fiancé
fidarsi   to confide, rely on, trust
fiducia   confidence, trust
fienile *m.*   hayloft
figliolo   son, boy
figura   figure
figurarsi   to imagine, fancy
figuro   scoundrel, rascal
fila   row, line
filare *m.*   row
filiale   filial
filo   thread
finchè   until
fine *f.*   end;   **alla —** at last
finestrella   small window
fingere   to pretend
fino a   until
· **finora**   until now
finta, far   to feign, pretend
finzione *f.*   imposture, sham
fio   penalty
fionda   slingshot

fiorire to flower, bloom
fischiare to whistle
fissare to look at, fix one's eyes on
fisso fixed
fiume *m.* river
flotta fleet
focaccia cake, bun
foggia fashion, manner
foglio sheet
folgore *f.* thunderbolt
folla crowd
follia folly; madness
fondato well founded
fondo bottom; in — in fact, at bottom
fondovalle *m.* the bottom of the valley
forbici *f. pl.* scissors
forbiciata scissor cut
forca gallows; — fienaia hayfork
forcelluto forked
foresta forest
formalmente formally
formicaio anthill
formicolante swarming
formulare to formulate
forno oven
forte strong
fortuna fortune, luck
forza strength, force; a — di by dint of
fossa ditch; grave
fracasso crash, noise
fradicio wet to the skin, soaking wet
fragola strawberry

frana landslide
frangia fringe
frantoio olive-press
frasca branch, bush
fraternità fraternity, brotherliness
fratta bramble-bush
frattempo meanwhile, meantime
freccia arrow
frequentare to frequent
frequente frequent
fretta haste, hurry
frittella pancake, fritter
fritto fried
fronda branch, leaf, foliage
fronte *f.* forehead; front; di — a in front of
frumento grain; wheat
fruscìo rustle, rustling sound
frusto worn out
fuggire to run away, flee
fulmine *m.* lightning; thunder (bolt)
fulvo reddish-yellow, tawny
fumare to smoke
fumo smoke
fune *f.* rope
fungo mushroom
funzionare to work, act, function
fuoco fire; — fatuo firefly
fuorchè except
fuori out, outside
furfantesco roguish, knavish
furia fury, rage; a — di by means of, by force of
fustagno corduroy, fustian

galleggiante floating
galleggiare to float
gallina hen
gallo rooster
galoppare to gallop
galoppo gallop
gamba leg
gambo stem, stalk
garbare to please, suit
gatto cat
gazza magpie
gelatinoso gelatinous
gelido gelid, icy
gelso mulberry tree
gelsomino jasmine
gemere to moan, groan with pain
gemito groan, moan
genero son-in-law
gentile kind
gentiluomo gentleman
gerbido infertile
gerla basket
gesticolare to gesticulate
gesto gesture
gettare to throw, hurl, fling; gettarsi to throw, fling oneself
ghiacciare to freeze
ghiaia gravel
ghirlanda garland, wreath
ghiro dormouse
giacere to lie
giardiniere m. gardener
gigantesco gigantic
giglio lily
ginocchio knee
gioco game
gioia joy, delight

giovinezza youth
girare to turn, go around
girasole m. sunflower
giro turn, round; in — in circulation
giudicare to judge
giudice m. judge
giudizio judgement, opinion
giunco rush
giungere to arrive, reach
giunto, nuovo newly arrived person
giurare to swear
giustificare to justify, excuse
giustizia justice
giusto just
golfo gulf
gomito elbow
gomitolo ball
gomma gum, resin
gonfiare to swell, inflate
gonfio swollen
gotta gout
governo government, administration
gradino step
grado rank
graffio scratch
gramo miserable, wretched
granaio granary, barn
granchio crab
grandezza size
grandine f. hail
grappa brandy made in northern Italy
grassottello plump
graticcio trellis
grattarsi to scratch oneself

grave   serious
gravità   gravity, seriousness
grazia   grace; favor
greco   Greek
grembo   bosom; lap
gridare   to shout, cry (out)
grido   cry, scream, shout
grigio   grey
grillo   cricket
groppo   small group; knot
grosso   big, thick
grotta   grotto, cave
gru *f.*   crane
gruccia   crutch
grumoso   grumous, lumpy
gruppo   group
guadagnare   to earn
guaio   misfortune, difficulty, woe
guancia   cheek
guanto   glove
guardia   guard, watch
guarire   to cure; recover
guarnizione *f.*   trimming
guercio   one-eyed
guerra   war
guscio   shell
gusto   taste; enjoyment
gutturale   guttural

ignorante   ignorant
illuminare   to illuminate, light
illustrissimo   most illustrious
imbalsamato   embalmed
imbarcarsi   to embark
imbavagliare   to gag
imbottigliare   to bottle

imbrogliare   to get entangled
imbuto   funnel
imitare   to imitate, mimic
immaginare   to imagine
immagine *f.*   image
immerso   immersed
immobile   motionless
immunizzare   to immunize (against)
impacco   compress
impalato   stiff
impannata   *window covered with cloth instead of glass*
imparare   to learn
impastare   to paste
impaurito   frightened
impavesare   to dress with flags
impaziente   impatient
impazienza   impatience
impedire   to prevent
impegno   care
imperatore *m.*   emperor
impercettibile   imperceptible
imperversare   to rage, storm
impestare   to infect
impiantare   to set up
impianto   system, installation
impiastricciare   to smear, daub, plaster
impiccagione *f.*   hanging
impiccare   to hang
impolverato   dusty, covered with dust
imponente   imposing
imporporarsi   to become red
importare   to matter
impregnato   impregnated (with)

impresa undertaking, enterprise

imprevisto unforeseen, unexpected

imprigionare to imprison

improvviso sudden, unexpected; d' — suddenly

impuntarsi to refuse to budge, stop dead

imputabile imputable

inaridire to dry, make arid

incamminarsi to set out, make one's way

incarico task

incatenato chained

incendiare to set fire to

incendio fire

incerottato in a plaster cast

incerto uncertain

inchiavardare to bolt

inchinarsi to bow

inciampare to stumble

incitare to incite, urge

inclinare to bend, incline

incollare to paste

incolore colorless

incolto uncultivated

incolume uninjured; safe and sound

incomodo annoyance

incompletezza incompleteness

incompleto incomplete

incomprensibile incomprehensible

incomunicabile incommunicable

inconsueto unusual

incontrario: all' — in reverse

incontro encounter

incorniciare to frame

incrociare to cross

incuffiettato bonneted, coiffed

indicare to indicate, point out

indietro back, behind

indiscutibile unquestionable, indisputable

indistinto vague, indistinct

indomani next day, following day

indossare to wear, have on

indosso on

indovinare to guess

indugio delay

inesperto unskilled, inexperienced

inespressivo inexpressive

inetto good-for-nothing

infangato spattered with mud

infatti in fact, really

infelice unhappy, unfortunate

infelicità unhappiness

infermità infirmity, illness

infermo ill, infirm

inferocito enraged

inferriata grating

infestare to ravage, infest

infido untrustworthy

infilare to slip (on, over)

infine at last, finally

infisso, infitto driven in, fixed

informarsi to inquire

infossato sunken

infuocato burning

ingannare to deceive, cheat

inganno deceit, trick

ingegno talent, genius

ingegnoso ingenious

ingentilire to refine

inghiottire to swallow

inginocchiato kneeling, on one's knees

ingiusto unjust, unfair

ingombro encumbered, piled with

ingresso entrance

ingrullito made stupid, dulled

inguainare to sheathe

iniettare to inject

iniziare to initiate, begin

innamorato in love (with); *n.* sweetheart

inno hymn

innocente innocent

inquieto uneasy

inquinato polluted

insaccarsi to squeeze, crowd (into a small space)

insano insane

inseguire to pursue, chase; follow

inseguitore *m.* pursuer

insetto insect

insicuro unsure, uncertain

insidiare to threaten; lay a trap for, lie in wait for

insistere to insist

insorgere to rise in revolt, rebel

insostituibile unbeatable; irreplaceable

inspiegabile inexplicable

intabarrato cloaked, wrapped in a cloak

intanto meanwhile, in the meantime

intatto intact; uninjured

intelletto intellect, understanding

intelligenza intelligence

intendere to intend, mean

intento intent; *n.* intention, purpose

intenzionato disposed, willing; bene — well intentioned

interessare to interest; interessarsi to be interested

interesse *m.* interest

interezza wholeness, entireness

intermediario intermediary

interminabile interminable, endless

interno inside

intero whole, entire

interpretare to interpret, construe

interrogare to question

interrogativo interrogative

interrompere to interrupt

intervenire to intervene

inteso understood

intimorito intimidated; frightened

intonare to intone, strike up (a song)

intorno around

introdurre to introduce

inumano inhuman

inutile useless

inventare to invent

inverosimilmente in an unlikely manner, unlikely

investire to run down; collide

involucro covering, pod

irrepar*a*bile   irreparable
*i*spido   shaggy
ispirare   to inspire
issare   to hoist

là there; **al di — di** beyond
laborat*o*rio   laboratory
l*a*ccio   thong; knot
l*a*cero   torn, ragged
ladro   thief
laggiù   down there
laghetto   pond, small lake
lama   blade
lambicco   alembic
lambire   to touch lightly, graze
lampo   lightning
lampone *m.*   raspberry
lana   wool
l*a*ncia   lance
lanciare   to hurl, fling
l*a*nguido   languid
lanoso   woolly
lanterna   lantern
largo   wide, large, broad;   **al —**
   at a distance, off;   **farsi —** to
   make one's way through, push
   one's way through
lascire   to be lascivious
lassù   up there
latino   Latin
latte *m.*   milk
lauro   laurel
lavanda   lavender
lavare   to wash
lavorare   to work
lavoratore *m.*   worker
lavoro   work

lebbra   leprosy
lebbros*a*rio   leper colony
lebbroso   leper; *adj.* leprous
leccare   to lick
l*e*cito   permitted, allowed
legare   to tie, bind, fasten
legge *f.*   law
leggero   light
legna   firewood
legno   wood
legnoso   tough; woody
lembo   flap; piece
lento   slow
lenza   fishing line
lenzuolo   sheet
leso   injured
letame *m.*   manure
lettiga   litter
lettura   reading
levante *m.*   east
levare   to lift
levatrice *f.*   midwife
libbra   pound
liberare   to free, set free;
   liberarsi   to free oneself
licenzioso   licentious
lichene *m.*   lichen
lieto   glad, happy
lieve   light, easy, slight
lilla   lilac (colored)
limitare   to limit
l*i*nea   line
lineamento   feature
lingu*a*ggio   language
lira   lyre
l*o*ggia   loggia, gallery
lombrico   earthworm
losco   dubious

luccicante shining, glittering
lucernetta little lamp
lucertola lizard
lucidare to polish
lumaca snail
lume *m.* light
lumino little lamp
luna moon
luogo place
luogotenente *m.* lieutenant
lustrare to polish, clean

macabro macabre
macchia bush; spot
macchiare to spot, stain, soil
macchina machine
macello slaughterhouse
macilento emaciated, very thin
macinare to grind
maestà majesty
maestria mastery, skill
maestro master, teacher
magari perhaps, maybe
maggiore greater; greatest;
  sorella — older sister
magnifico magnificent, splendid
magro thin
maiale *m.* pig
malandato in bad condition
malandrino scoundrel
malato sick, ill; *n.* patient,
  sick person
malattia illness, sickness, disease
malconcio in a bad state, in a
  sorry state
maldestro awkward, unskilled

male evil, ill; *adv.* badly;
  meno — it's a good thing
malefatta mischief
malfatto badly done
malgrado in spite of,
  notwithstanding
malignità malignity; wickedness
maligno malicious, malignant
malizia cunning
malo bad, wicked
malora ruin; andare in —
  to go to ruin
malva mallow
malvagio wicked
malvagità wickedness
mancanza lack, want, absence
mancare to lack, want, be in
  need of
manchevole deficient, wanting
manciata handful
mancino left-handed
mandare to send
mangiabile edible
manica sleeve
manifestare to manifest, show
manovrare to maneuver, work
mantello cloak
mantenere to keep, maintain,
  hold
Maometto Mohammed
marcia march
maresciallo marshal
margherita daisy
margine *m.* edge, margin
  border
marina navy
marinaio sailor
marino marine, sea

marsina   dress coat
maschio   male
massima   maxim
materia   matter, material,
    substance
materno   maternal
matrimonio   marriage,
    matrimony, wedding
mattinata   morning
matto   crazy, insane, mad
maturo   mature, ripe
mazzo   bunch
meccanica   mechanics
meccanismo   mechanism
medicare   to medicate, treat
medicina   medicine
medico   doctor
medusa   jellyfish
melato   honey-sweet
melenso   silly, stupid
melograno   pomegranate tree
melone *m.*   melon
membrana   membrane
membro   member; limb,
    appendage
menare   to lead; strike (a blow)
mendicante *m.*   beggar
menta   mint; — piperita
    peppermint
mente *f.*   mind
mento   chin
meravigliare   to amaze, surprise,
    astonish
meraviglioso   wonderful,
    marvelous, amazing
meritare   to deserve, merit
meschinetto   poor little one
mescolare   to mix, mingle, blend

messa   Mass
messaggio   message
mestatore *m.*   agitator, ringleader
mestiere *m.*   trade, occupation,
    profession
mesto   sorrowful, mournful
metà   half
metro   meter
miasma *m.*   miasma
miglio   mile
militare   military; *n. m.*
    military service
minare   to injure, undermine
minestra   soup
minimo   minimum, least
ministro   minister
minutamente   minutely,
    precisely, in detail
mischia   fight, fray
mischiare   to mix
miscuglio   mixture
miseria   misery
misero   miserable, wretched
misfatto   misdeed, crime
misterioso   mysterious
modestamente   modestly,
    plainly
modo   way, manner
modulare   to modulate
molle   soft; moist
moltitudine f.   multitude
moltiplicare   to multiply
monaca   nun
monacale   monastic
monco   maimed; incomplete
mondo   world
montagna   mountain

montare to mount, go up

mora blackberry

morale moral

morbido soft, tender

morbillo measles

mordere to bite

moresco Moorish

mormorare to murmur, mutter, whisper

morsicare to bite

morso bite

morte f. death

morto dead; n. dead person

mostrare to show, exhibit, display; mostrarsi to show oneself, appear

moto motion

movenza movement, gesture

movimento movement, motion

mozzare to cut

mucchio heap, pile

muffa mold, must

mugghiare to roar, bellow, howl

mugolio mumbling

mulattiera mule road

mulino mill

mulo mule

munito furnished, provided (with), fortified

muovere to move, stir

murata ship's side

musco moss

muso muzzle, snout

mutare to change, alter

mutilato mutilated, disabled; n; disabled man

narice f. nostril

nascondere to hide, conceal

natura nature

naturale natural

naufragato shipwrecked

naufragio shipwreck

navata nave, aisle

nave f. ship

navigatore m. navigator

nefando nefarious, abominable

negromante m. necromancer

nemico enemy

nerastro blackish

nerovestito dressed in black

netto clean; clear

nidiata nestful, brood

nido nest

nipote m. nephew, grandchild

nitrire to neigh

nobile noble

nodo knot

nodoso knotty, gnarly

noia tediousness, boredom

nominare to appoint

nonno grandfather

nostalgia homesickness; nostalgia

nostrano of our own (country)

nota note

notizia piece of news

noto known, well known

nottata night

nottetempo in the night, by night

notturno nocturnal

nozze f. pl. wedding, marriage

nudo bare, naked, nude

nugolo swarm

nuora   daughter-in-law
nuotare   to swim
nutrirsi   to feed (on)
nuvola   cloud
nuziale   nuptial, bridal

obbedire   to obey
obbligare   to oblige, compel
oca   goose
oceano   ocean
ocra   ochre
odiare   to hate
odio   hatred
odore m.   smell, odor
odoroso   fragrant, sweet-smelling
offeso   offended; injured
offuscare   to darken, dim,
    obscure
oggetto   object
ognuno   everyone, everybody,
    each, each one
oliva   olive
olivastro   olive-colored
olivo   olive tree
oltre   besides; beyond
oltrepassare   to go beyond
ombra   shade, shadow
ombrello   umbrella
oncia   ounce
onda   wave
ondeggiare   to wave, undulate
onore m.   honor
opaco   opaque
opera   work
opposto   opposite
orbo   blind
ordinanza   ordinance, order

ordinare   to order
ordine m.   order; rank
ordire   to plot, plan
orecchino   earring
orecchio   ear
orfano   orphan
organetto   barrel organ
organo   organ
orgia   orgy
origano   oregano
origine f.   origin
orizzonte m.   horizon
orlo   edge, border
orma   trace, mark
ormai   now, by now
ornare   to adorn
oro   gold
orrendo   horrible
orribile   horrible, dreadful
orrore m.   horror
ortaggio   vegetable
orto   vegetable garden
osare   to dare
oscuro   dark
ospedale m.   hospital
ospitalità   hospitality
ospite m. or f.   guest
osservare   to observe, notice;
    remark
ostentare   to exhibit, display
ostinarsi   to persist, insist
ostinato   obstinate, stubborn
ostinazione f.   obstinacy,
    stubborness, persistence
ostruito   obstructed
ottava   octave
ottuso   obtuse; blunt

*o*vulo *species of mushroom*
*o*zio idleness, laziness

pace *f.* peace
padiglione *m.* pavilion
padrino second
padrone *m.* master
paesano peasant; native
paggetto (little) page(boy)
p*a*glia straw
pagli*a*io haystack
palla ball
p*a*llido pale, pallid
p*a*ncia belly
panciolle, in lounging
panni *m. pl.* clothes
Papa *m.* pope
pappetta particle, smidgen
paraggi *m. pl.* neighborhood,
   parts
parallelo parallel
parapetto parapet
parata parry
par*e*cchio much, very much,
   several
parente *m.* parent, relative
parere to seem
parete *f.* wall
pari equal, same
parrucca wig
parsim*o*nia parsimony
partecipare to participate, take
   part
partenza departure
particolare *m.* particular, detail
partita game
parto delivery, childbirth

pascolare to graze, pasture
P*a*squa Easter
pass*a*ggio passage
passeggero passing
p*a*ssero sparrow
passione *f.* passion
passo step; passage
pastinaca parsnip
pasto meal
pastore *m.* shepherd
pastorella young shepherdess
patella limpet
pat*i*bolo gallows; scaffold
patire to suffer, endure
p*a*tria native land
patto agreement, pact
pattuito agreed, determined
paura fear; **far —** to
   frighten
paziente patient
peccato sin; pity
pece *f.* pitch
p*e*cora sheep
pedil*u*vio foot bath
peggiorare to get worse
pelle *f.* skin
peloso hairy, shaggy
pena pain; penalty
p*e*ndere to hang
pendio slope, slant
penna feather
pennellata brush-stroke
pennuto feathered
pensiero thought, idea
pensieroso thoughtful
penzolare to dangle, hang down
per*a*ltro however
perciò so, therefore

percorrere   to run across, go
  through
perdere   to lose
perdita   loss
perdonare   to forgive, pardon
perentorio   peremptory
perfetto   perfect
perfezionare   to perfect;
  improve
perfino   even
pericolo   danger, peril
pericoloso   dangerous
permettere   to permit, allow
pero   pear tree
perpetuo   perpetual
perseguitare   to persecute
persino   even
persuadere   to persuade,
  convince
pesante   heavy, weighty
pesare   to weigh
pescare   to fish
pescatore m.   fisherman
peste f.   plague
petalo   petal
pettinare   to comb
petto   chest, breast
pezzo   piece
pezzuola   small piece of cloth
piaga   wound; evil, calamity
piana   plain
piangere   to cry, weep
piano   slowly; softly; n. plan;
  plain
pianta   plant
piantare   to plant
pianterreno   ground floor
pianura   plain

piattola   louse
picca   pike, lance
piccino   tiny, little
piega   fold
pietà   pity; mercy
pietoso   merciful
pietra   stone
pigiare   to press, crush
pigliare   to take, catch
pigna   pine cone
pigro   lazy
pila   pile, heap
pinnacolo   battlement; pinnacle
pino   pine tree
pinze f. pl.   pliers, pincers,
  forceps
pioggia   rain; — dirotta
  pouring rain
pipistrello   bat
piramide f.   pyramid
pirata m.   pirate
piumino   down
piumato   feathered, plumed
pizzo   lace
plausibile   plausible, reasonable
poggiare   to place, rest
poggio   hillock, knoll
poichè   since, as, for
pollaio   hencoop
polpo   octopus
polvere f.   dust, powder; — da
  sparo   gun powder
polverizzato   pulverized
polveroso   dusty
pomodoro   tomato
ponte m.   bridge
ponticello   footbridge
popolarità   popularity

popolazione *f.* population
porcino species of mushroom
porre to put, set, place
portatore *m.* bearer
portone *m.* main door
posa rest
posarsi to alight, settle
possibilità possibility
posto place
pozzo well
pratica practice
praticare to practice
praticità usefulness
prato meadow
preannunciare to announce in advance, give notice of
precedere to precede
precipizio precipice
preciso precise, exact
preda prey
predica sermon
predicozzo scolding, admonition
predisporre to arrange in advance
pregare to pray
preghiera prayer
premuroso thoughtful, kind, solicitous
prendersela to be angry, blame
preoccuparsi to be worried, anxious
prepotenza arrogance
prerogativa prerogative, privilege
presentare to present, introduce
presenza presence
pressapoco nearly, about
presto soon; quickly

prete *m.* priest
pretendente *m.* suitor
pretendere to claim, want
prevedere to foresee; expect
prevedibile foreseeable
prevenire to prevent
prezioso precious
prezzo price
prigioniero prisoner
primaticcio early
principe *m.* prince
priore *m.* prior
privato private
processionaria procession caterpillar
processo trial
prodigarsi to do all one can
produrre to produce, give rise to
profilo profile
profondo deep, profound
progetto plan, scheme, project
proibire to forbid, prohibit
proibizione *f.* prohibition
promessa promise
promettere to promise
prono prone
pronto ready
pronuncia pronunciation
pronunciare to pronounce
proporre to propose
proprietario owner, proprietor
proprio own, one's own
proseguire to continue, go on
prostituta prostitute
proteggere to protect
protendere to stretch out, lean
provare to try; experience; feel
Provenza Provence

provvedere   to provide, furnish, supply
prudenza   prudence
pudico   modest, bashful
pugno   fist
pula   chaff
pulcino   chick
pulito   clean
pungere   to sting, prick
punire   to punish
punta   point, tip, end
puntellarsi   to support oneself
punto   point; place
puntuale   punctual
pupilla   pupil (of the eye)
pure   also; yet
puzzo   stench, nasty smell

quadrupede *m.*   quadruped
quaglia   quail
qualcuno   someone, anyone; some, any
qualsiasi   whatever, whichever
quartiere *m.*   quarter
quasi   almost
quassù   up here
questione *f.*   question
questua   house to house begging
quindi   hence; then

rabberciare   to patch
rabbioso   furious
rabbrividire   to shudder, shiver
raccapezzare   to make head or tail of it; to make it out
raccogliere   to collect, pick up

raccoglitore *m.*   collector
raccolto   crop, harvest
raccomandarsi   to commend, recommend oneself; *used also as a request or command:*
Mettiti d'accordo con mia mamma, mi raccomando
Come to an agreement with my mother, don't forget (please)
racconciare   to repair, mend
raccontare   to tell, relate
racconto   story, tale
rada   anchorage
raddoppiare   to double, redouble
raddrizzare   to straighten, set upright
radice *f.*   root
rado   thin
radunarsi   to assemble, gather
rafforzare   to strengthen, reinforce
raffreddore *m.*   cold
raggera   radiant crown
raggomitolarsi   to curl up
raggiungere   to arrive (at), reach
ragionamento   reasoning, argument
ragione *f.*   reason; **aver —** to be right
ragno   spider
ramarro   green lizard
ramificato   branched
rammendare   to mend, darn
rammendo   darning
ramo   branch
rampante   rampant
rana   frog

rancio ration, mess, dinner

rannicchiato crouching, squatting

rapa turnip

rapace rapacious; **uccello —** bird of prey

rapina robbery, plundering

rapire to carry off, kidnap

rappresentare to represent

raro rare

raso shaven

rattoppare to patch, mend

ravvedersi to reform, mend one's ways

ravvolto wrapped up

razza kind; race, breed

re *m.* king

realizzare to implement, accomplish

realtà reality

recipiente *m.* container

recitare to recite, say

recriminare to recriminate, reproach

recuperare to recover

regalare to present, make a present of

regale royal, regal

regalo gift, present

reggere to support; carry; **a nessuno reggeva il cuore** no one had the heart

regione *f.* region

regola rule

regolarmente regularly; duly

religione *f.* religion

religioso religious

rendere to render, return, yield; **— conto di** to render an account of

reo guilty

replica reply

replicare to reply

requie *f.* rest, peace

resistere to stand the test, hold out, resist

respirare to breathe

respiro breath

responsabilità responsibility

resto remainder, rest

rete *f.* net

reticella small net

reticente reticent

retto right; **angolo —** right angle

riaccendere to lighten again

rialzarsi to get up (again)

riaprire to reopen, open (again)

riccio husk of a chestnut

richiamare to draw

richiamo call

richiesta request, demand

riconoscere to recognize

riconoscimento acknowledgment

ricoprire to cover

ridare to give back; **ridarsi** to devote oneself again

ridere to laugh

ridurre to reduce; **ridursi** to be reduced to, end up

riempire to fill

rifiutare to refuse, reject

riflettere to reflect

riga line, row

rigirare   to turn again
riguardare   to concern
riguardo   consideration, respect
riguardoso   considerate,
  respectful
rimandare   to postpone, put off
rimasuglio   remains
rimbeccare   to retort
rimedio   remedy, cure
rimettere   to put back; to lose;
  rimettersi   to resume, set oneself again
rimorso   remorse, regret
rimproverare   to scold,
  reprimand, reproach
rimprovero   reproach, reprimand
rimuovere   to remove
rincalzare   to press the earth
  down around a plant
rincalzo   reinforcement
rincasare   to return home
rinchiudersi   to shut oneself up
rinchiuso   shut up, locked in
rincorrere   to pursue, chase
rinfrancare   to reassure
ringhiera   railing
ringraziamento   thanks
ringraziare   to thank
rinuncia   renunciation
rinunciare   to give up, renounce
ripagare   to repay
ripararsi   to take shelter
riparo   shelter, cover
ripensare   to think of again
ripiano   plateau
ripicca   pique; resentment
ripido   steep
riportare   to bring back

riposarsi   to rest
riprendere   to start again, resume
ripugnanza   repugnance,
  aversion
risata   laugh, laughter
risataccia   mocking laughter
risatina   giggle, little laugh
risipola   erysipelas
risparmiare   to save, spare
rispettare   to respect
rispetto   respect; — a   as
  regards, in respect of
risposta   answer, reply
risprofondare   to immerse
  oneself again; sink again
rissa   brawl, fray
ristabilire   to recover
ritirarsi   to withdraw, retreat
ritornello   refrain
ritorno   return
ritrarre   to draw back, withdraw
ritrosia   bashfulness, shyness
ritrovare   to find again
ritto   straight, erect
riuscire   to succeed
riuscita   success
riva   shore, bank
rivale m.   rival
rivedere   to see again
rivelarsi   to reveal oneself
riverso   on one's back
rivolgere   to turn; rivolgersi
  to turn, apply
rivolta   revolt, insurrection
rivolto   turned
rizzarsi   to rise, stand up
roba   stuff, things
roccia   rock

rodere   to gnaw, nibble
romantico   romantico
rompere   to break
roncola   pruning hook
rondine *f.*   swallow
ronzare   to buzz, hum
rosmarino   rosemary
roteare   to roll, rotate
rotolare   to roll
rotto   broken
rottura   break
rovello   anger, rage
rovere *m.*   oak
rovesciare   to turn inside out;
   rovesciarsi   to turn over
rovina   ruin
rovinare   to ruin
rubare   to steal, rob
ruga   wrinkle
rugoso   wrinkled
rumore *m.*   noise
ruota   wheel
ruotare   to rotate, revolve
ruscello   brook
rustico   rustic

saccheggiare   to pillage, plunder,
   sack
saccheggio   sacking, pillage,
   plunder
sacco   sack, bag
sacrilego   sacrilegious
sacro   sacred, holy
saggio   wise, judicious
sagoma   shape, form, outline,
   profile
saio   gown

saldo   firm, solid
saliscendere *m.*   going up and
   down
salita   ascent; slope, rise
salmo   psalm
saltare   to jump, leap
saltatore *m.*   jumper
salto   jump, leap
salutare   to say good-bye, hello
salute *f.*   health; safety
saluto   greeting, salutation, salute
salvare   to save, rescue
salvatore *m.*   rescuer
salvo   safe
sanare   to heal, cure
sangue *m.*   blood
sanguinante   bleeding, bloody
sano   healthy; sane
santo   saint
sapienza   wisdom, knowledge
saputo   learned, wise
saraceno   Saracen
sarmento   vine branch
sasso   stone, pebble
sassoso   stony, full of stones
sbagliare, sbagliarsi   to make a
   mistake, be wrong
sbattere   to bang (a door)
sbranare   to tear to pieces
sbertucciare   to crush, spoil the
   shape of
sbiadito   faded
sbirro   policeman, police spy
sbocciare   to blossom, bud
sbranare   to tear to pieces
sbriciolare   to crumble
sbrindellato   in rags
sbucare   to jump, spring (from)

sbuffo puff
scacciare to drive out
scagliare to throw, hurl
scaglioso scaly
scala stairs
scalciare to kick
scalfittura scratch
scalpitìo pawing
scalzo barefoot
scambiare to mistake
scampare to escape, avoid
scampo escape
scandalizzarsi to be scandalized, shocked
scansare to avoid, shun
scappare to run away, flee
scaricare to discharge
scarseggiare to lack, be scarce
scarso poor, scanty
scatenarsi to break out, burst forth
scattare to spring up
scatto, di suddenly
scelta choice, selection
scemare to lessen, abate
scemo idiot, fool; adj. foolish, stupid
scheggia splinter
scheletrito very thin, reduced to a skeleton
schermidore m. fencer
schermirsi to defend oneself, parry
scherzare to joke
schiacciare to crush, squash
schianto crash
schiarire to clear
schiena back

schieramento ranks
schierare to draw up, line up
schioppo gun
schiudere to open
scia wake, track
sciame m. swarm
sciancato lopsided, crippled
scientifico scientific
scienza science; knowledge
scimitarra scimitar
scintillare to sparkle, twinkle
sciupone m. spendthrift, waster
scodella bowl
scogliera cliff
scoglio rock
scoiattolo squirrel
scomparire to disappear, fade
scongiurare to entreat, implore, beseech
scontro encounter
sconveniente indecent; improper
scoperchiare to uncover
scoperta discovery
scopo purpose, object, aim
scoppiare to burst, break out
scoprire to discover, find out
scoraggiarsi to be (get) discouraged
scorgere to see, perceive
scorpione m. scorpion
scorrazzare to run about, raid
scorrere to run (across)
scorsoio running
scorticare to skin
scorza outside; bark; skin
scosceso sloping; steep
scottarsi to burn oneself, scorch oneself

scottatura burn
screziato speckled
scrosciante pelting
scrutare to investigate
scudiero squire, groom
scudo *silver coin used in Italy between the 17th and 19th centuries (approx. $1.00)*
scuoiare to skin
scuotere to shake
scuotimento shaking
scusa apology, excuse
sdraiare to stretch out; sdraiarsi to lie down, stretch out
sebbene although
seccare to dry
secchio pail, bucket
secco dry, dried
secondo according to
sega saw
segala rye
segare to saw
seggio throne; chair
segnale *m.* signal
segnare to mark; segnarsi to cross oneself
segno sign, mark
seguitare to continue, go on
seguito succession; series; in — later on, afterwards
sella saddle
selvatico wild
sembrare to seem
seminare to sow
seminudo half-naked
seno breast, bosom
sensibile sensitive; sensible

senso sense; sensation
sentenza judgement
sentiero path
sentimento feeling, sentiment
sentinella sentry, sentinel
sentire to feel; hear; listen; sentirsi to feel
senz'altro without fail, certainly
separare to separate, divide
separazione *f.* separation
sepolto buried, interred
sepoltura burial
seppellire to bury, inter
seppure even if, even though
sequela sequence
serbo reserve
sereno clear, serene
sergente *m.* sergeant
serio serious
serpente *m.* snake, serpent
serrarsi to stand close, press close
serrato close, compact
servente *m. and f.* servant
servo servant
seta silk
setaccio sieve
sete *f.* thirst
setticemia septicaemia
severo severe, strict; harsh, rough
sevizia cruelty
sfasciarsi to go to pieces
sfiancarsi to tire, overwork oneself
sfiancato hollow-flanked (*of a horse*)
sfibbiare to unbuckle, unclasp

sordo   deaf

sorgente *f.*   spring

sorprendere   to surprise

sorreggere   to support

sorretto   supported, held up

sorridere   to smile

sorriso   smile

sorte *f.*   destiny, fate, outcome

sorvolare   to pass over

sospendere   to suspend, hang

sospeso   suspended, hanging

sospetto   suspect, suspicious

sospirare   to sigh

sospiro   sigh

sossopra   upside down, topsy turvy

sostegno   support, prop

sostituire   to take the place of, replace

sottile   thin, slender

sottocoperta   below deck

sottoterra   underground

sovente   often, frequently

sovrano   sovereign

sovrappensiero   absent-minded, lost in thought

sozzo   filthy

spaccare   to split, cleave

spaccatura   split, cleft

spada   sword

spagliare   to remove the straw from

spago   cord, string

spalancato   wide open

spalla   shoulder

spallucce; fare —   to shrug one's shoulders

sparare   to shoot, fire

spargere   to spread, scatter

sparire   to disappear, vanish

sparo   shot, report

sparso   scattered

spaurito   frightened

spaventare   to frighten, scare; appal

spavento   fright, terror

specchiarsi   to look at oneself; to be reflected

specchio   mirror

specie *f.*   kind, sort; species; *adj.* especially

spegnere   to extinguish, put out

spelacchiato   shabby

spelonca   den, cave

spera *poet.*   sphere

speranza   hope

sperimentare   to try, test, experiment

sperone *m.*   spur

spesso   thick, compact

spettare   to belong to

spezzare   to break (in two)

spiaccicare   to crush

spiacere   to displease, offend

spiaggia   beach

spiare   to spy on

spiccare un balzo   to take a jump

spidocchiarsi   to delouse oneself

spiegato   spread

spiegazione *f.*   explanation

spiga   spike

spillo   pin

spingarda   catapult; mortar

spingere   to push, drive, thrust; spingersi   to push forward

spinta   push, shove

spiovente   drooping
spiovere   to stop raining
spírito   spirit, wit
spiumìo   downy petals, feathers
spogliare   plunder, pillage
spora   spore
sporcaccione *m.*   filthy person
sporgere   to stretch out, jut out;
   sporgersi   to lean out
sportello   cage door
sposa   bride
sposare   to wed, marry
sposo   bridegroom, husband
spostarsi   to move, shift
sprecare   to waste, squander
sprofondare   to sink, go to the
   bottom
spronare   to spur
sproporzionato   disproportioned
spuntare   to appear, peep out
sputare   to spit
sputasentenze *m.*   sententious
   person
squadra   squadron
squarciare   to rip, tear
squarcio   gash, tear
squartare   to chop, quarter
squillante   shrill
squillo   blare
sradicato   uprooted
srotolare   to unroll
stabilire   to fix, establish; resolve,
   decide
staccare   to detach, separate,
   sever
staffa   stirrup; clamp, strap
stagno   pond
stalla   stable

stallo   stall
stampella   crutch
stanare   to drive out (an animal
   from its hiding place)
stanco   tired, weary
stanotte   tonight; last night
starnazzare   to flutter, flap the
   wings
stecchito   thin
stecco   twig
stella   star
stemma *m.*   coat of arms
stendardo   standard
stendere   to spread
stento   stunted
sterco   excrement, dung
sterminare   to exterminate
stillante   dripping
stinto   faded
stirarsi   to stretch onself
stivale *m.*   boot
stonare   to sing out of tune
stoppia   stubble
stopposo   towy, flaxy
stormo   swarm, flock
storpiare   to cripple, maim
storpio   crippled; *n.* cripple
storto   crooked, twisted
stracciare   to tear
stracciato   in rags, torn
straccione *m.*   one in rags, ragged
   fellow
strano   strange
strappare   to tear, wrench;
   strapparsi   to get torn, tear
   oneself away
strascico   train (of a bridal gown)
stratagemma *m.*   stratagem

stravolto   twisted

straziare   to torture; tear

strazio   torment, torture

stregua: alla —   on a level

stretto   clenched, grasped

strigliare   to curry

strillare   to shout, shriek, scream

strillo   cry, shriek, scream

stringersi   to squeeze; — nelle
   spalle   to shrug one's shoulders

striscia   strip, stripe, band

strizzare l'occhio   to wink

strizzata   wink

strofa   stanza, strophe

struggersi   to melt, be consumed

strumento   instrument

studio   study

studioso   scholar

stupido   stupid

stupirsi   to be astonished,
   surprised

stuzzicare   to excite, provoke

succedere   to happen

succhiare   to suck

sultano   sultan

suola   sole (of a shoe)

suolo   soil, ground

suonare   to sound, play, ring

suonatrice f.   player, musician

suono   sound

superficie f.   surface

supino   supine, on one's back

supplice   imploring

suscitare   to rouse, provoke

sussulto   start, shaking

svegliare   to wake, awaken,
   rouse; svegliarsi   to awake,
   be awakened

svenire   to faint

sventrato   disemboweled, ripped
   up

sventura   misfortune, mishap

sventurato   unfortunate,
   unlucky

svergognato   shameless,
   impudent

svolare   to flutter, fly

svolazzante   flying, flitting

svolazzare   to fly, flit

svolgersi   to happen, occur

tagliare   to cut

taglio   cut

tale   such, like

taluno   somebody, someone

talvolta   sometimes

tamponare   to plug, stop

tana   den, lair

tanto, ogni   now and then, every
   once in a while

tappo   plug, cork

tarassaco   dandelion

tardare   to delay, be late

tardivo   tardy, late; slow

tasca   pocket

tasto   key

tatuare   to tattoo

taverna   tavern

tazza   cup

tecnica   technical knowledge

tegola   tile

temere   to fear

tempesta   storm, tempest

temporale m.   storm

tenaglia   pincers, pliers

tenda tent

tendere to stretch, hold out;
   tend, be inclined

tenebroso dark, obscure

tenente *m.* lieutenant

tenerello tender

tentacolo tentacle

tentare to tempt; try

teologicamente theologically

terra earth, ground, land

terrazzo terrace

terreno ground, soil

terribile terrible, awful,
   dreadful

terriccio loam

territorio territory

terrore *m.* terror

tesa brim

teschio skull

teso taut, tight

testimonianza evidence,
   testimony, witness

testuggine *f.* tortoise

tetro gloomy, dismal

tetto roof

tiepido tepid, lukewarm

timo thyme

timore *m.* fear

tino vat, tub

tinozza tub

tintinnante jingling

tipaccio bad, strange type

tirannia tyranny

tirare to draw, pull; **tirarsi
   indietro** to draw back

tisana infusion

titolo title

toccare to touch; concern; —
   a qualcuno to be someone's
   turn, duty

togli e metti putting and taking

togliere to remove

tomba tomb, grave

tondo round

tonfo splash

tono tone

topo mouse, rat

torace thorax

torbido troubled, confused

torcia torch

torcere to twist, writhe

tormentare to torture, torment

tormento torment, torture

toro bull

torre *f.* tower

torrente *m.* torrent; stream

torrentizio torrent-like

torsolo (of corn) cob

torta cake, pie, tart

torto wrong, fault

tortora turtledove

tortura torture

toscano Tuscan

tossire to cough

trabocchetto snare, trap

traccia track, trail

tracciare to trace; sketch

tracolla, a slung over one
   shoulder

tradire to betray

trafelato out of breath, panting

tragico tragic

tramontana north wind

tramonto sunset

trampoliere *m.* plover

tranello   trap, snare, plot
tranne   except, but
tranquillo   tranquil, peaceful
trarre   to draw
trascinare   to drag
trascorrere   to spend, pass
trascurare   to neglect
trasformarsi   to transform oneself, be transformed
trasmettere   to transmit, send
trasparente   transparent
trasparire   to appear (through)
trasportare   to carry
trattarsi   to be a question of, deal
   with
trattato   treatise
trattenere   to hold, keep back
tratto   way; (tutt') a un —
   suddenly, all of a sudden
trave *f.*   beam
traversare   to cross
traversata   crossing, passage
travestire   to disguise
treccia   braid, plait
tregua   truce, respite
tremante   trembling, shaking
tremare   to tremble, shake
trepido   anxious; trembling
tresette *m.*   (Neopolitan) card
   game
triangolare   triangular
tricorno   three-cornered hat
tridente *m.*   hayfork
trillo   trill
trinità   trinity
triste   sad
trofeo   trophy
tromba   trumpet, bugle

troncare   to cut off
tronco   trunk
trotterellare   to trot along
trucidare   to slay, murder
truogolo   trough
tuonare   to thunder
tuono   thunder
turbante *m.*   turban
turbare   to trouble, disturb
turco   Turk
turno   turn

ubriacare   to intoxicate, make
   drunk; ubriacarsi   to get drunk
uccellesco *adj.*   bird
uccelliera   aviary
uccello   bird; — rapace   bird of
   prey
uccidere   to kill
udire   to hear; listen
ufficiale *m.*   official
uggia   dislike, annoyance
ugonotto   Huguenot
uguale   equal, same
umanità   humanity, mankind
umano   human
unghia   nail
unguento *m.*   ointment
unico   only, sole, single
unirsi   to unite, join
uosa   legging
urgente   urgent, pressing
urlare   to shout, shriek
urlo   cry, shriek, howl
urtare   to knock against, push
usare   to use; show, treat
uscio   door, exit

usciolo wicket door, gate
ustione *f.* burn
*u*tile useful
uva grape(s)

vagabondo vagabond, vagrant
vagare to wander, ramble
vago vague
vallata valley, plain
valle *f.* valley, valve
valore *m.* value, worth
valoroso valiant, brave, valorous
vano vain, useless, empty
vantarsi to boast, brag
vecchi*a*ia old age
vecchietta (poor) old woman
v*e*dova widow
vegliare to sit up, stay up, late
vela sail
velato veiled
velenoso poisonous, venomous
velluto velvet
velo veil
vena vein
vend*e*mmia (grape) harvest
vendemmiare to harvest, reap
vendemmiatore *m.* (grape)
   harvester
vent*a*glio fan
ventina score, about twenty
vento wind; **farsi** — to fan
   oneself
ventre *m.* belly
venuta coming, arrival
vergogna shame
verità truth

versante *m.* slope
versare to pour
verso toward, to; *n.* verse;
   reverse
v*e*scia puffball
v*e*scovo bishop
vespa wasp
veste *f.* gown; *pl.* clothes
vesti*a*rio clothes
vesticciuola frock
vestito dress; suit
veterano veteran
veterin*a*rio veterinarian
vetta summit, top
via way, road; **per** — **di** because of
viandante *m.* traveller, passerby
vibrare to vibrate, quiver
vicemadre *f.* foster mother
vig*i*lia eve; vigil
vigna vineyard
vill*a*ggio village
viltà cowardice
v*i*ncere to conquer, win, over-
   come
vinello thin wine (*wine of low
   alcoholic content*)
viola violet; viola
violenza violence
violino violin, fiddle
vi*o*ttolo path
v*i*pera viper
virtù virtue; property
virtuoso virtuous
v*i*scere *m.* vital organ; *pl.*
   viscera

víscido   viscid, sticky
visconte *m*.   viscount
viscontessa   viscountess
visitatore *m*.   visitor
viso   face
vista   view, sight
vite *f*.   vine
víttima   victim
vivo   living, alive
voglia   wish, desire
voialtri   you others
volare   to fly
volatile   winged; *pl*. winged
   creatures, birds
volentieri   willingly, with
   pleasure
voliera   bird cage
volo   flight
voltare   to turn; voltarsi   to
   turn, turn around
volto   face

votare   to devote, consecrate
vuoto   empty

zafferano   saffron
zampa   paw
zappa   hoe
zappare   to hoe, dig
zecca   tick
zelante   zealous
zelo   zeal
zirlio   trill
zitto   silent
zoccolìo   sound of hoofs
zoccolo   hoof
zolla   clod; sod
zoppicare   to limp
zoppo   lame; *n;* lame person
zucca   pumpkin, gourd
zufolo   pipe, whistle
zuppo   wet, drenched, soaked